LA TRANSHUMANCE 1

LA TRANSHUMANCE

DU MÊME AUTEUR

AUX MÊMES ÉDITIONS

Le mystère humain de la sexualité

Tête dure,
autobiographie

Une morale pour notre temps
coll. *Livre de vie*

CHEZ D'AUTRES ÉDITEURS

Médecins et guérisseurs, *Lethielleux*

Amour ou contraintes, *Spes*

L'harmonie du couple humain, *Ed. ouvrières*

L'union des époux, *Fayard*

Devant l'illusion et l'angoisse, *Fayard*

Amour, Péché, Souffrance, *Fayard*

Savoir aimer, *Fayard*

Une morale pour notre temps, *Fayard*

La mort... Et puis après ? *Fayard*

Le célibat, *Centurion*

Etre avec..., *Centurion*

Actualité, *Fayard*

EN COLLABORATION

Les enfants prodigues, *Fayard*

Cri d'appel d'un blouson noir, *Fayard*

Ailleurs existe,
avec Bruno Lagrange,
Fayard

MARC ORAISON

LA TRANSHUMANCE

ÉDITIONS DU SEUIL
*27, rue Jacob, Paris VIe*

à tous ceux qui me liront

Je suis vexé d'être mortel

IONESCO

Ouverture

Quel long voyage à travers les siècles ! Ce voyage dont je suis... Et vous ?

Pour chacun de nous, c'est pareil : mon père avait un père, qui avait un père, qui avait un père, etc. On pourrait en dire autant pour la succession des femmes.

Jusqu'où ? En arrière. Et vers où ? En avant. J'interroge le temps. C'est ma force et ma faiblesse. C'est mon angoisse et mon irrésistible certitude, tout à la fois. Je me moque bien des théories, des systèmes, des idées satisfaisantes, qui camouflent la seule question : qui suis-je, avec les autres ? Qui est celui-là qui me regarde, celle-là qui m'interroge ? Quel est le sens, au-delà des mots, de cette présence, toujours ambivalente, des autres à moi et de moi aux autres ? Cette présence qui est la vôtre, à chacun, sans que je puisse autre chose que la deviner, dans la certitude et dans l'inépuisable interrogation.

De quel grouillement hasardeux, et pourtant orienté, de spermatozoïdes et d'ovules, avons-nous, vous et moi, jailli ? De quels spermatozoïdes ou ovules de *qui* ? Et qu'est-ce que cela veut dire, puisque je suis là — c'est irréversible — qui m'interroge et vous interroge ?

Ce long voyage des hommes et des femmes au cours des temps, qui ont tout de même commencé, et dont on ne *voit* pas la fin. Le soupir passager que vous êtes, tout comme moi, n'est-ce que duperie ? Je ne peux pas accepter de mourir si ma souffrance et celle des autres — que je connais, que je devine ou que j'entrevois — ne mènent pas, comme l'accouchement qui « déchire », à la « respiration » de la vie. Et le pire, c'est que j'ai beau ne pas accepter, je meurs quand même...

Ah ! Non !

Une révolte irrésistible monte en moi. Contre les cuistres satisfaits que tout cela n'interroge pas. Ou contre les rêveurs qui évacuent leur angoisse dans les illusions d'une ère sans gendarmes, sans voleurs, sans conflits, sans « complexes », sans « problèmes »...

Bougres d'imbéciles !

Et ce pieux chanoine, qui vous parle on ne sait pourquoi ni comment d'un certain Jésus devenu prétexte ou raison sociale, et qui vous dit : « Obéissez au pape quand il vous dit d'éternuer sur commande en vous écriant : Dieu vous bénisse ! »

Ah ! Non !

Moi, je hurle dans la nuit. Et vous ? Si vous me dites que non, *ce n'est pas vrai.*

Et j'en ai assez des grands discours doctrinaires. De ceux de la curie romaine, comme de ceux du Saint-Office marxiste, comme de ceux des foutriquets en mal de puberté.

De qui se moque-t-on ?

Dans l'histoire de ce nommé « Jésus », on raconte qu'il a sué du sang et qu'il a poussé un « grand cri ». Dans ce cri, je me reconnais ; et du coup j'ai l'impression de « signifier ». A mon tour et à ma place. Comme vous et moi, non ?

Mais pour percevoir ce cri — chez les autres comme en soi-même — il faut être nu. Déshabillé de son personnage, de son vêtement verbal, de son camouflage mental intérieur. A la limite, déshabillé de sa peau ; la chair à vif.

Justement, d'après ce qu'on raconte, c'est comme cela qu'il était, lui... Un certain Jésus...

J'ai senti, dans ma main, s'amollir des mains dans cette extinction sans retour du tonus musculaire qu'on appelle, cliniquement, la mort. J'ai vu *s'éteindre* des regards ; comme un jour le mien s'éteindra, posant sans doute à d'autres la même question qu'à moi les regards que j'ai vus s'éteindre. Le vôtre, si ça se trouve...

Le voyage d'un être le long de sa durée. Et le voyage de nous tous le long de cette durée qui n'en finit pas et qui pourtant finit. Pour chacun à son tour, alors que ça continue pour les autres.

Je regarde cet enfant de cinq ans, qui rit, s'amuse, demande à vivre, et quête dans le regard de ses parents comme une confirmation de son existence. Et je me dis que dans vingt ans, lui qui m'a connu presque vieil homme, vivra — je ne sais comment — les mêmes questions que moi, les mêmes questions que ses parents, d'une façon pourtant indiciblement différente. Ces grands yeux noirs de gosse me bouleversent... Nous faisons le même voyage et, qu'on le veuille ou non, nous en cherchons le sens.

Dans son monde d'enfant, qu'imagine-t-il de féerique et d'immédiat ? Dans mon monde d'homme déjà qui amorce sa vieillesse, je ne puis plus être dupe de ma féerie à moi, jadis si proche sans doute de la sienne et si insuperposable pourtant. Mais la question reste la même : ça veut dire *quoi*, vivre ou crever ? Impasse, ou transhumance ?

Imaginez ces grands troupeaux, sous des ciels alternant de lumière et d'ombre, et qui vont — si loin parfois — chercher de quoi vivre. C'est au-delà des bruits de l'industrie humaine, qui si souvent obture de son vacarme l'interrogation lancinante.

Vous êtes, comme moi, embarqués dans le troupeau. Et contrairement aux moutons et aux vaches, *vous vous demandez pourquoi.* Ne me dites pas le contraire : il suffit que nos regards se croisent pour que vous et moi nous *sachions*... A moins que vous ne soyez doctrinaires. Car, alors, le béton dont vous vous entourez est impénétrable.

Mais *étouffant*.

Suprême imposture des « socialistes », des « curés », des « anarchistes »...

Nous sommes « embarqués ». Ensemble. Même si c'est à six cents ans d'intervalle. Embarqués dans quelle transhumance ?

Cela ne vous dérange pas trop qu'on en parle ?

Dans cette marche de l'humanité, nous voyons le rôle très important des éducateurs pour orienter cette marche.

1

LA TRANSHUMANCE 2

Certains soirs, on voudrait s'abstraire de cet impitoyable mouvement. Se mettre « sur le bord » un moment ; faire comme si ça ne bougeait pas, comme si on ne bougeait plus. Mais le cœur bat, les ongles poussent, la digestion se fait, on perd de l'eau... Il faut bouger pour aller boire, et c'est plus fort que tout, quoi qu'on dise. On peut faire la grève de la faim, mais pas de la soif. Et encore, quand on fait la grève de la faim, c'est pour dire à quelqu'un qu'il vous fait crever, pour l'inquiéter, pour le mettre en transes, pour le forcer à vous tuer, à vous donner à manger de force, ou à céder. Il n'y a pas plus violent qu'un gréviste de la faim. C'est la violence la plus subtile que d'accuser l'autre de cette façon.

Car si on se met « sur le bord comme si », les autres, eux, continuent. Les fourmis n'interrompent pas leur procession si l'une d'elles se trouve mal ; les hommes, si. On ne peut pas se mettre sur le bord, s'abstraire. Parce qu'il y a les autres et qu'on est effroyablement solidaires.

Et pourtant on voudrait que ça ne bouge plus. On voudrait avoir trouvé la solution à tout, pour être *satisfait*. On cherche à « s'installer » ; on cherche la « stabilité » : des instructions, des structures, des régimes, des théories. Quand par hasard on a bâti quelque chose qui paraît solide, il ne faut pas longtemps pour que ce à quoi l'on n'avait pas pensé — qu'on avait enfoui dans l'ignorance, plutôt... — se mettre à vivre, à parler, à hurler même en flanquant tout par terre.

Pour les phénomènes de civilisation, cela demande parfois des siècles. Pour chacun de nous, cela ne demande souvent que quelques années. Mais le phénomène est le même ; et il est fondamental, inévitable, constituant même de cette interminable recherche, sans *espoir* mais enracinée dans une irrésistible et préalable *espérance,* de la race humaine, dont nous sommes vous et moi.

Ce n'est pas une abstraction, la race humaine. Par opposition à l'« humanité », qui est imagination ou vue de l'esprit. Ça n'*existe* pas, « l'humanité » : ce qui existe, c'est vous, moi, cette vertigineuse succession de sujets s'interrogeant, comme vous et moi ; la *race* dans son dynamisme, son expansion, sa lutte palpitante et consciente pour quelque chose d'impossible et d'impérissable. Ces innombrables sujets qui s'articulent par la génération...

Freud avait bien raison : la sexualité est au centre, au départ, de toute interrogation. Car, après tout, n'en déplaise aux abstractifs de tout poil, c'est par la sexualité qu'on engendre et que se pose cette question sans réponse du *sens* de tout. La question de l'*origine*, ce qui est après tout la même chose.

Quelque chose est fini, depuis dix ou vingt ans ; quelque chose que l'on aurait envie d'appeler une illusion, alors que ce n'était qu'une étape. L'idée que l'homme s'était fait de lui-même et de son rapport au monde. Depuis quelque deux ou trois cents ans, l'homme s'est mis à chercher par lui-même sans tenir compte de ce qu'il s'était dit jusque-là. C'est la science proprement dite.

Et l'homme en a trouvé, des choses ! Quant aux autres, quant aux « forces de la nature », quant à la matière, quant à la vie. Et quant à lui-même. Toute la façon de penser en est profondément bouleversée. En deux cents ans, tout en restant le même, l'homme a changé comme il ne l'avait jamais fait. Et c'est un changement irréversible, mais en un sens dramatique.

Entre La Bruyère et nous, un renversement s'est produit. Il écrivait « tout est dit et l'on vient trop tard ». A la lumière de la science moderne, nous aurions plutôt tendance à dire « rien n'est encore dit, et l'on vient trop tôt »... Depuis que l'homme s'est mis à scruter méthodiquement son passé même le plus obscur — préhistoire ou psychanalyse — voilà qu'il est renvoyé puissamment vers l'interrogation de son avenir et de son *sens*. Il se sait désormais participant d'une énorme germination qu'on appelle « l'univers », et participant à la fois personnellement et ensemble. Ce n'est plus tant « le silence éternel des espaces infinis » qui l'effraie ; mais, rejoignant sans doute d'une autre façon l'intuition de Pascal, l'immense et perpétuelle interrogation de ce dynamisme en marche. Peut-être est-ce là la caractéristique la plus profonde de l'homme moderne : il se sait irrévocablement en route, en tant que conscience d'un monde en évolution ; mais ce dynamisme *n'aboutit pas*. Ou du moins il ne peut pas *voir* où ce dynamisme peut aboutir, car il ne perçoit que les échecs qui semblent apparemment l'inévitable destinée.

Nous vivons sans doute la période la plus éprouvante, la plus purifiante aussi, de l'histoire humaine : toute mythologie s'écroule et l'interrogation radicale éclate dans toute sa puissance, en quelque sorte, de « vide »... Les certitudes acquises détruisent toute illusion, toute rêverie même. Et sur elles se fonde, d'une manière cette fois inévacuable, l'incertitude fondamentale.

On va vers la lune ; mais on s'entre-tue.

On se parle aisément d'un bout de la terre à l'autre, mais on se comprend si mal que pendant ce temps on découvre et on stocke des moyens destructifs tels qu'une autosuppression de l'humanité n'est plus du domaine de l'imagination, mais du possible.

On « résoud des problèmes » ; mais cela en fait surgir de plus complexes qu'on n'avait pas prévus. D'ailleurs, des problèmes cruciaux ne sont pas pour autant résolus depuis des millénaires : la T.S.F., l'avion, l'électronique et tout ce que l'on voudra n'ont *rien* changé à l'affrontement obstiné des Juifs et des Arabes, qui date de Moïse.

Alors, quoi ?

Dans ce contraste d'une griserie enthousiaste et d'un croissant marasme, on parle d'un certain Jésus... On en parle même dans des interpellations agressives et tragiques — comme dans le *Cimetière des voitures*... On en parle aussi, hélas, dans un ronron verbal et organisé que d'aucuns appellent « la pastorale » (quand ce n'est pas « la catéchèse » !...) comme pour s'assurer qu'on le possède bien.

Nous sommes à l'ère des sciences de l'homme ; de l'anthropologie, comme on dit. C'est tellement effrayant que certains voudraient la réduire aux sciences *exactes*. Quand c'est *exact*, on est tranquille.

Or justement l'anthropologie est la prise de conscience de l'incertitude *absolue*, sans échappatoire possible. C'est d'ailleurs pour cela sans doute, clairement ou non, que l'immense désarroi, la rage angoissée, qui ont éclaté en mai-juin 1968, ont pris naissance dans les secteurs « sciences humaines » de l'Université. Phénomène, semble-t-il, d'une portée encore incalculable : l'homme se rend compte qu'il ne peut pas répondre par lui-même à sa propre interrogation, et que les réponses qu'il se donne sont tragiquement illusoires. Le besoin irréversible d'adorer ne débouche, par lui-même, que sur des idoles grotesques ou dévoratrices.

Anatomophysiologie et psychanalyse montrent que l'homme, parmi les êtres vivants, se spécifie par la conscience interrogative « provoquée », en quelque manière, par une inadaptation inaugurale et foncière à l'existence. Nous sommes tous, à la naissance, de très fragiles prématurés, venus beaucoup « trop tôt », n'en déplaise à La Bruyère. (Ce qui, d'ailleurs, va susciter le langage, parce que, précisément, « rien n'est encore dit ».)

Le plus surprenant, c'est que d'après les données scientifiques cette inadaptation est le résultat d'une évolution, d'un *progrès*. Il est en effet admis que le dynamisme d'organisation de la matière vivante est évolutif, dans ses grandes lignes. (Le « mystère » de ce dynamisme est, à mon sens, encore plus vraiment mystère, et donc inexplorable, que la représentation statique ou « parachutée » que l'on pouvait avoir jusqu'aux temps modernes.) La race humaine est issue de la transformation de quelques primates, voici peut-être un million d'années ; et cette transformation achevait un immense processus de structuration de plus en plus complexe et de plus en plus parfait. Soudain — si on peut dire... — ce perfectionnement aboutit à ce que l'on peut appeler un « excès de cerveau ». Et c'est nous. Mais du coup apparaît la distance et l'incertitude. L'homme « fait deux avec la nature », comme l'écrit Vercors, contrairement à l'animal qui fait encore totalement partie d'elle, si l'on peut ainsi parler... L'être humain est un animal hypertrophié du cerveau, et du coup il est *autre chose*. Il ne « sait plus d'avance » ce qu'il faut faire et comment vivre. Sa « nature » est de chercher, dans une quête perpétuellement insatisfaite, ce qu'il faut bien appeler, simplement, le bonheur ; c'est-à-dire la conscience d'une harmonie générale vécue. C'est d'un progrès biologique que surgit cette inquiétude sans terme qui constitue l'homme dans sa spécificité. L'« homme », c'est-à-dire vous, moi, nous ; chacun et tous. Car cette inquiétude est à la fois singulière *et* collective. La psychanalyse a mis à jour les racines mêmes de la première, et l'histoire des civilisations est l'expression de la seconde. Singulièrement ou collectivement, c'est sur les ébauches très primitives d'une image de soi foncièrement interrogeante que l'homme cherche à se réaliser, à se situer. Mais le décalage est tel qu'il n'y parvient jamais ; la mort survient toujours avant...

Si l'on admet l'idée d'une « création » par une « volonté transcendante », il est bien évident qu'on ne peut plus l'exprimer dans la perspective d'une sorte de démiurge qui agirait de l'extérieur. Déjà, dans les deux premiers chapitres de la Genèse, on perçoit cette création, évolution « de l'intérieur », qui correspond beaucoup mieux à un esprit moderne.

Depuis quelque temps, plus directement que jamais à cause de certaines réussites techniques, on se pose la question de l'existence de la vie sur d'autres corpuscules cosmiques que la terre où nous sommes. Les processus de l'organisation vivante — et pensante... — de la matière sont-ils possibles ou non, existants ou non, sur Mars, Saturne, Jupiter ou telle planète inconnue d'une galaxie à peine soupçonnée ?...

Mais qu'est-ce que cela peut bien nous faire ? Au risque de choquer, de scandaliser même, il me semble nécessaire de proclamer l'inanité de ces questions. Ou bien alors leur caractère d'alibi ? Il y a des gens qui se préoccupent de savoir comment vivent leurs voisins et qui évitent ainsi de se poser la question — sans doute embarrassante... — de savoir ce qu'ils devraient faire, *eux,* pour mieux vivre, pour résoudre mieux leurs conflits, pour se rendre les uns les autres sinon plus heureux du moins moins malheureux. Pendant qu'on parle de la Lune ou de Mars, on peut se donner bonne conscience de *faire semblant* de parler du Biafra, du Vietnam ou de la Tchécoslovaquie. Et c'est peut-être la suprême illusion, la suprême duperie. On n'est pas sur la Lune ou sur Mars ; et même si on y va quelque jour coloniser, cela ne changera rien à l'angoisse humaine essentielle. On ne fera que transporter ailleurs cette angoisse, peut-être plus intensément perçue, et contaminer de notre incertitude et de nos conflits des mondes peut-être inertes et donc « pacifiques ».

Si l'on s'occupait, courageusement, de ce qui est accessible ? Cela n'empêche pas de chercher à connaître le reste, mais il devient grave que la recherche du reste camoufle, obture, méconnaisse l'insoluble question de ce qui est accessible. Que les Martiens existent, avec quatre ou six pattes, qu'il y ait sur Sirius des êtres pensants, cela de toute façon m'importe peu : il reste la question humaine au ras de mon appréhension, cette question humaine à quoi je participe de toute ma chair, et qui est l'incertitude, l'insécurité, le vide de tout « savoir » définitif.

Depuis des centaines de millénaires, c'est avec cette question que nous sommes aux prises ; et ce n'est pas sur la Lune qu'on trouvera la solution.

Où donc peut se situer, enfin, la sécurité de l'homme ? Les gens qui prétendent n'être pas inquiets, dominer sereinement les problèmes, ne pas s'interroger sur le sens ultime de l'existence, me font sourire de pitié ou m'agacent comme des enfants qui nient l'évidence. Un certain « stoïcisme » est tout simplement, malgré l'appareil conceptuel, un réflexe obstiné de défense comme celui de l'enfant qui ne peut encore assumer, affronter, *vivre* sa peur.

Et de fait, l'histoire humaine est tissée essentiellement de cette recherche de sécurité. Elle a pris mille formes. Mais on peut cependant distinguer certaines grandes lignes, alternantes ou combinées, que l'on retrouve, je pense, autant dans l'histoire individuelle de chacun de nous que dans l'histoire humaine universelle.

D'abord, l'effort technique. On a « inventé » le feu, les pierres taillées, le métal... On a violenté la « nature ». Car à partir du moment où l'homme s'est mis à choisir, découper, faire cuire et assaisonner d'herbes son bifteck de mammouth, il a violé la « loi naturelle »... (Cela, on l'oublie quelquefois...)

Mais, de la pierre polie à l'électronique la plus moderne, l'effort technique ne résoud rien. Il améliore et complique tout à la fois. Il satisfait un besoin et suscite de nouveaux désirs. Il apaise et exacerbe tout à la fois l'insécurité foncière, l'insatisfaction irréductible ; il en fait, finalement, ressortir le caractère vertigineux et inexorable.

Dans une autre perspective, en contraste dialectique avec la première, on a recours à un « Sujet

Supposé Savoir ». De quels noms n'a-t-il pas été affublé ! Singuliers ou pluriels... L'aspect purement linguistique de ces innombrables dénominations ne manque certainement pas d'intérêt ; c'est là peut-être qu'on situerait le mieux l'expression paradoxale du vide comme appel de la conscience irréductible...

Brahma, Jupiter, Zeus, Baal, Astarté, Râ... Bref, au singulier ou au pluriel, un être imaginaire plus ou moins issu de l'image du chef de clan ou du « père ». Autrement dit — et d'une façon très générale — la « divinité ». Tantôt masculine, tantôt féminine, tantôt les deux en une seule ou plusieurs représentations. Et la « religion » s'organise : initiation, rites, incantations, exorcismes, sacrifice... (Bref — remarquons-le au passage — tout ce *contre quoi* se développe l'essentiel du dynamisme biblique et le message de Jésus...)

Mais tout cela ne résoud rien, et n'empêche pas de souffrir et de mourir.

Alors, il y a l'idéologie, qui ne date pas d'hier. Et c'est un processus complexe. D'une part on réfléchit ; d'autre part on rêve. Et les deux se combinent aisément dans une attitude intolérante et cruelle, plus destructrice et insécurisante que la question du départ. C'est le règne des « systèmes », souvent établis d'après les intuitions d'hommes géniaux qui ne se reconnaîtraient pas — eux qui étaient *inquiets* — dans la manière dont on les utilise. Ainsi, sans doute, Platon, Aristote, Thomas d'Aquin, Marx lui-même. Quant à Freud, n'en parlons pas !

Monsieur Tartempion, au nom de la liberté, proteste violemment, pancarte à la main, contre la censure des films. Et huit jours après, en toute logique de sincérité, il proteste non moins violemment, pancarte à la main, contre le fait qu'on *n'a pas interdit* tel film — d'ailleurs scandaleux il faut le dire — qui va contre « ses idées ». Il récuse la censure et veut l'établir. La sienne, évidemment... C'est à cela qu'aboutit tout « système », surtout s'il est « généreux ».

N'y a-t-il pas de quoi pleurer, après en avoir tant ri ?...

L'idéologie...

Sous ce mot, on désigne souvent un idéal à mettre en œuvre. Je pense par exemple à « l'idéologie socialiste », ou à « l'idéologie chrétienne [1] ». Sous l'influence de génies de la pensée, des courants s'établissent, s'organisent, s'amplifient. Des systèmes — de pensée et d'action — se construisent. Il y a dedans à la fois ce qui est, et qu'on analyse, et ce qui *devrait être*, dont on dégage les grandes lignes de ce manque à ce qui est...

1. La foi chrétienne proprement dite n'est pas une « idéologie », c'est-à-dire un système. Et dès qu'on parle d'idéologie chrétienne, la foi n'est plus qu'un prétexte plus ou moins vidé de son sens propre.

Mais c'est toujours trop tard qu'on s'aperçoit d'une évidence toujours méconnue : ce genre de réflexion n'est jamais et ne peut jamais être que *partielle.* D'ailleurs, comme le mot l'indique, elle aboutit à la formation de « partis », même si le plus fort de ceux-ci parvient à faire taire ou à dissimuler les autres (Allemagne sous Hitler, Russie, Espagne, etc., etc.). Des « idéologies », toujours partielles, ne peuvent aboutir qu'à des méconnaissances réciproques et à des affrontements. Les « socialistes » ne parviennent pas à s'entendre, et les « chrétiens », dès qu'ils sont revenus au niveau de l'idéologie, en arrivent à s'entre-tuer dans des guerres de « religion », fratricides et particulièrement cruelles. Il nous faut peut-être déchanter d'une illusion que le XIXe siècle a curieusement entretenue. Les « philosophies » pas plus que les techniques ne résolvent l'insécurité fondamentale de la race humaine. Contrairement à ce qu'on voudrait croire, ce ne sont pas les *idées* qui mènent le monde, mais le *désir.* Et comme les « idées » ont tendance à méconnaître — sinon à refouler — le désir, réalité primordiale pourtant, elles aboutissent toujours à côté de leur visée. Comme le désir lui-même, d'ailleurs... La psychanalyse, sur ces points, nous éclaire singulièrement. Nous aidera-t-elle à être moins dupes ?

Les idéologies mènent fatalement à des luttes, plus ou moins féroces, puis à la dictature de l'une d'elles. Et cependant elles sont nécessaires pour sortir d'une situation antécédente devenue insupportable. L'idéologie révolutionnaire a liquidé la monarchie et tout ce qu'elle représentait de sclérose et d'abus ; il y eut la Révolution française ; puis il y eut Napoléon. Ce dictateur génial et ambigu, qui se méfiait tant des « idéologues », était lui-même mené par une idéologie... Pire peut-être : la sienne.

L'humanité me fait penser à un système articulé de deux pistons alternatifs. Tantôt les uns oppriment les autres, tantôt les autres oppriment les uns... C'est ainsi que cela se passe à tous les niveaux : international, social, familial... Et au niveau de chacun de nous singulièrement : vivre consiste à s'opprimer soi-même alternativement d'un côté puis d'un autre.

Et les plus belles idéologies ne dissimulent le plus souvent, chez ceux qui cherchent à les promouvoir en actes, qu'un désir obscur, méconnu (rationalisé, dirait-on en termes analytiques), de tenir le piston qui comprime.

*

L'ultime expression humaine est en définitive le besoin d'adorer, au sens le plus général de ce terme, et non pas seulement au sens religieux explicite. Besoin de « se prosterner » (= mettre son sternum en avant, jusque par terre...). Devant ce qu'on trouve : la lune, les vaches, le tonnerre, l'automobile, les fusées, le parti, le drapeau... La liste des « objets d'adoration » serait interminable.

Un de mes amis, cultivé, intelligent, indépendant d'esprit autant qu'on peut l'être, a passé quelques semaines en Chine dite « populaire » au printemps de cette année 1969. Ce qu'il m'a raconté m'a laissé pantois. Depuis au moins deux ans, il n'y a pratiquement plus de formation universitaire. Un homme jeune qui veut être chirurgien ne passe pas par les longues études scientifiques du monde occidental. Il va passer trois mois dans un hôpital, trois mois dans une clinique. Et puis il se lance, il opère. Et si le malade guérit, c'est parce que Mao l'a voulu. Il fallait vraiment que je fasse confiance à mon ami pour le croire !

Le dieu s'appelle, pour le moment, Mao (Tsé-toung). Ses pensées sont un talisman. Il suffit d'avoir le livre en main pour être protégé du rhume de cerveau. Et si on attrape tout de même un rhume, ce n'est pas de sa faute, c'est parce qu'on n'a pas été fidèle à sa pensée. Je sais bien qu'on n'a pas encore été capable, en Occident, de juguler le coryza comme on a fait de la variole, mais tout de même !

Les « maoïstes » de tout style se rendent-ils compte ? Ou en sont-ils au même degré de régression ?...

Bien d'autres détails convergent. Si les avions

volent, c'est parce que Mao le veut. Si les récoltes sont bonnes, c'est que Mao l'a voulu. Mao interdit qu'on ait des rapports sexuels avant trente ans ? On n'en a pas. Ah ! Mais...

L'adoration...

L'ennui, c'est que Mao, comme César, Louis XIV, Napoléon Ier ou III, de Gaulle, Kennedy, Dupont, Smith ou Popof, n'est jamais qu'un homme comme les autres. Au même titre que Jean XXIII et Paul VI, d'ailleurs. La question du numéro n'est jamais qu'un point de repère chronologique. Il y en a des intelligents, des astucieux, des paranoïaques, des obsessionnels, des demi-fous (genre Hitler). Mais ce ne sont jamais que des hommes.

Le besoin d'adorer est tel qu'on en fait des « dieux ». Pour Auguste et ses successeurs, c'était explicite. Pour Mao, c'est proche de l'explicite. Mais pour Hitler, Staline et Franco, cela n'est pas si loin... Il y avait des « prières à Hitler » (après vingt-cinq ans, cela ferait presque sourire, si on peut...). Staline était bien vécu comme « le petit père des peuples », ce qui est bien dans la ligne de la religion. Napoléon ? On parle bien de son « culte ». Pétain, chez nous, incarnait pour un temps un mythe (d'ailleurs, il se rapprochait de l'« Eglise »...) ; mais le phénomène n'a pas duré très longtemps. De Gaulle, on l'adorait moins, sauf quelques cénacles restreints sans doute ; mais il agaçait comme une menace dans ce sens.

Le culte des « rois » et « reines », d'hérédité ou de pacotille, s'inscrit bien dans cette démarche.

Je ne sais pas comment vous êtes, mais pour ma part, ça ne passe pas. Je ne peux pas. Adorer quelqu'un — imaginaire ou réel — qui mange, souffle, transpire, s'énerve, pisse et défèque tout comme moi, cela ne résoud pas mon insécurité. Il m'est arrivé assez souvent de choquer, autour de moi, quand j'osais dire : « Sire X ou le général Untel ne m'impressionnent pas : ils vont à la selle tout comme moi, même s'ils utilisent un papier de luxe marqué de leur blason... »

Le besoin d'adorer...

Quelle psychose collective — et là Freud nous aide à être lucides — nous mène à l'illusion décevante d'« adorer » n'importe quoi, qui est censé « savoir » et « pouvoir » ?

Jésus, le Christ, ne « savait » et ne « pouvait » que laver les pieds et mourir...

Il est très souvent question de « défendre la civilisation ». Ou de la promouvoir. C'est d'ailleurs la raison des guerres. Avec une ardeur farouche et une conscience exacerbée, on défend « la civilisation chrétienne occidentale ». (Etrange assemblage de mots où, une fois de plus, le nom du Christ est ramené au niveau du prétexte, ce qui évacue de fait sa réalité concrète.) On maintient en lisières, à coups de fusil ou de bombes, les musulmans d'Algérie ou les Vietnamiens pour défendre cette « civilisation chrétienne » ; c'est même (hélas...) un cardinal qui l'a dit ! Quand on défend son pétrole, comme cela se passe à propos du Biafra, les choses sont claires, ouvertement sordides. Mais quel besoin a-t-on d'avoir l'air généreusement idéologue pour imposer un certain ordre à des gens dont on méconnaît la différence de culture ? Somme toute, je préfère un gangster qui a l'air d'un gangster à celui qui se déguise en redresseur de torts...

On « colonise ». On a besoin de se rassurer soi-même en allant « faire profiter » les autres des « bienfaits » de ce que l'on a élaboré. Au besoin, s'ils ne comprennent pas assez vite, on le leur fera « entrer dans la tête »... Algérie ; Vietnam ; Hongrie ; Tchécoslovaquie, etc., etc. Aucune « civilisation forte » n'échappe à cette tentation ; et de ce point de vue, il n'y a pas si grande différence entre Napoléon et Hitler.

Valéry disait que les civilisations, elles aussi, sont mortelles. Comme l'homme. Depuis le temps, on devrait le savoir ! Il suffit de réfléchir quelques instants en arpentant un site comme celui d'Ensérune, près de Béziers : des Phocéens aux poids lourds modernes, il s'est passé là une singulière confiture de civilisations ! Il en est qui meurent par extinction, semble-t-il. Mais la plupart du temps, c'est que les civilisations s'entre-tuent. L'homme, malgré son immense effort, ne peut jamais sécréter que du mortel, alors précisément qu'il veut avant tout vaincre le temps et la destruction, et engendrer ou construire de « l'immortel », sinon même de « l'éternel ». (Qui donc a parlé de la « France éternelle » ?... poètes, hommes politiques ?...)

De toute manière, on en arrive là. L'insécurité constituante est exorcisée, par exemple, par le recours au « Sujet Supposé Savoir » (divinité, « ancêtres », mythe...) représenté par l'autorité. Le *manque radical* est alors obturé, à la manière d'une brèche dans le toit qu'on recouvre d'une bâche pour ne pas la voir et ne pas être mouillé... Mais il n'est pas résolu pour autant, puisqu'il est, si l'on peut dire, à la source même de notre existence. Ce qu'on appelle le conservatisme relève de cette attitude : l'adoration du « Sujet Supposé Savoir » dans l'autorité sacrale (du type roi, le plus souvent) et dans les « traditions ». Mais un cycliste qui s'arrête sur l'adoration du chemin parcouru se casse, inévitablement, la figure... La continuité avec le passé n'est féconde que si elle est une marche, et si l'on ne prend pas ce passé pour un absolu, ce qui est mythologie. Il s'agit toujours de « tirer de son trésor des choses anciennes et des choses nouvelles ». C'est précisément dans des ruptures brutales avec un passé idolâtrique que des civilisations, souvent, s'écroulent. Ainsi la monarchie. Car cette idolâtrie du passé obture le regard sur la vie et méconnaît le « manque » constituant.

D'une autre manière, on peut situer le « Sujet Supposé Savoir » — ou qui *saura!* — du côté de l'homme. Malgré l'apparence, la démarche n'est pas tellement différente puisqu'elle consiste aussi à camoufler le manque. Et l'immobilisme s'installe de la même façon : il n'y a pas plus conservateurs que certains doctrinaires scientifiques ou politiques... C'est l'homme qui se projette dans un mythe, et c'est encore de la « religion ». Il est assez pittoresque de remarquer que le vocabulaire « théologique » séculaire et les attitudes d'intransigeance religieuse ont trouvé domicile dans les grandes assemblées communistes... Dogmes, hérésies, excommunications, etc.

Le simplisme historique est toujours discutable. Mais on ne peut s'empêcher de faire un rapprochement : ce qui se passait en « chrétienté » ressemble singulièrement à ce qui se passe dans « l'internationale socialiste ». Dans une certaine conception de la civilisation où, pour le monde occidental au moins, se mêlaient de façon confuse la nostalgie de l'Empire romain et la foi dans le Christ, on obturait tout autant le « manque ». Mais il a fallu des siècles pour que cela s'écroule, parce que dans l'ensemble, il y avait tout de même, justement, une foi qui tenait compte de ce manque. Le processus de sclérose s'est pourtant produit. Tout le monde — évêques, théologiens, cour de Rome... — s'est laissé prendre au piège : étant représentant du « Sujet Supposé Savoir » (sur un mode, en somme, assez magique...) on savait ; donc on détenait le *pouvoir*, même si on le qualifiait de « spirituel ». C'est justement cette attitude qui est radicalement mise en question dans le monde actuel. Tout ce qui est vestige de « chrétienté » — doctrine, organisation, hiérarchie sacro-sociale — est sévèrement critiqué. La question du Christ peut alors apparaître dans sa spécificité, qui est précisément de ne pas camoufler le manque...

Les « conciles rouges », comme ont dit les journalistes — (ou rose plus ou moins vif...) — nous ont donné les mêmes spectacles. Au nom de l'unité, on se divise ; au nom de la fidélité, on s'invective, on s'anathématise, on s'injurie. Il est logique, d'ailleurs, que ce résultat soit rapide, car l'obturation du manque est au point de départ même de la démarche : l'homme dispose, au moins virtuellement, de tout ce qui lui est nécessaire pour résoudre, « un jour », son insécurité. Sous la passion des luttes, à l'occasion sanglantes comme en Europe de l'Est, on perçoit malgré tout — c'est peut-être la portée dramatique profonde de l'affaire tchécoslovaque — une effroyable panique. Le « rêve socialiste » rejoint cette curieuse durée de l'adolescence qui ne parvient pas à être réelle à cause de l'inconnu de la mort.

Aucune civilisation n'est fondée sur le sens positif de la mort. Tout au plus peut-elle être fondée sur la négation ou le refus de la vie de ceux qui s'opposent à elle. Toute civilisation — théocratique ouvertement ou non, idéaliste au sens technique — n'est-elle pas finalement vouée à l'échec fatal ?

Parce qu'elle ne répond pas à la question humaine, parce qu'elle s'emploie à masquer — superbement ou violemment — ce qui justement la fait naître à sa racine même : l'incertitude *absolue* du sens de la transhumance.

*

Quelque chose, à un certain moment de l'histoire, s'est produit. Quelque chose de tout à fait étrange parce que radicalement nouveau. Voici quelques millénaires, on adorait la lune presque comme une divinité. Maintenant, on marche dessus pour y ramasser des cailloux.

Il y a bien des régions humaines où l'on adore encore la lune, ou quasiment. Et ces régions ne sont pas forcément très éloignées des foyers de progrès scientifique et technique. Le moins étrange, d'ailleurs, n'est-il pas cette concomitance, cette proximité de gens qui, malgré les apparences, vivent les uns au VIe siècle et les autres au XXe ?

Mais il me semble essentiel de ne pas oublier que si l'on va se promener sur la lune au prix de considérables difficultés et de coûteux efforts, ce n'est pas seulement pour y ramasser des cailloux. C'est pour y être avant les autres. Qui, d'ailleurs, se rattraperont. Il s'agit toujours d'une position de force ; donc de domination en quelque manière. Si encore ces gens allaient régler leurs comptes là-bas sans entraîner tout le monde dans un cataclysme. Mais, jusqu'à preuve du contraire, pour aller se battre sur la lune, il faut partir de la terre. Et se battre — directement ou par personnes interposées — pour avoir les moyens d'y aller...

Mais revenons à ce qui a changé. Le point de repère chronologique peut se situer, en gros, au début du XVIIe siècle de notre ère. L'homme occidental, dans son désir de « savoir » — et donc, par la suite, de « pouvoir » — a soudain fait abstraction du « Sujet Supposé Savoir » multiforme : magie, mythologie, philosophie occidentale, théologie. Il s'est mis à chercher par lui-même.

Le cas de Galilée exprime fort bien ce qui a pu se passer. Les controverses autour des travaux de Pasteur, au siècle dernier, montrent bien que la question n'est pas résolue, et que les partisans du « Sujet Supposé Savoir » n'ont pas désarmé. Avec Freud, ça recommence, et la controverse n'est pas résolue non plus, bien que ses découvertes soient de plus en plus intégrées au moins implicitement dans la façon moderne de penser, de même qu'on fait bouillir le lait sans prendre garde que cette pratique est récente du moins dans ses motivations.

Ce fait nouveau, c'est l'avènement de la science proprement dite. Le plus inexplicable, c'est qu'il ait fallu tant de temps — des centaines de milliers d'années autant qu'on sache — pour en arriver là. Pourquoi ? Qu'est-ce que cela veut dire ? Quel *sens* cela peut-il avoir, pour nous qui sommes dans le mouvement ainsi déclenché ?

Depuis trois cents ans, sur un rythme de plus en plus rapide, les représentations que l'homme pouvait se faire du monde où il s'interroge, de lui-même, de sa propre interrogation, tout a chaviré. Mais rien n'est résolu pour autant, tout au contraire. Reconnaissons que ce n'est pas drôle. Il n'est pas étonnant que des esprits aigus soient pris de vertige et se réfugient dans une psychose schizophrénique de négation, comme le dit le docteur G. Mendel à propos de Michel Foucault [1].

Il n'y a plus rien à quoi se raccrocher. Le « Sujet Supposé Savoir » n'existe pas. On l'a « tué » ; plus exactement, on s'est aperçu que c'était une fiction. Mais le « manque » apparaît alors comme irréductible plus que jamais, plus crûment et désespérément inexplicable.

1. Dr Gérard Mendel, *La Révolte contre le père,* Payot, Paris, 1969.

Plus on *saït*, et moins on comprend. On ne peut plus être dupe des mythologies. Mais devant l'angoisse radicale, il arrive que des hommes fort avancés dans cette voie de la science, selon une démarche « irrationnelle » et profondément logique dans sa contradiction même, se raccrochent à l'illusion d'un « pouvoir » mythique, et vont chez les cartomanciennes ou les guérisseurs.

Le monde moderne ne serait-il pas caractérisé par ce fait bouleversant que l'homme souffre, étouffe dans ses propres créations, qu'il ne sait pas ce que cela veut dire, qu'il n'en a jamais pris conscience de façon aussi aiguë ? Les « événements » de mai 68, en France, la violence des jeunes, les hippies et la drogue n'en sont peut-être que des symptômes.

En tout cas l'idée d'une « divinité récompensante » n'est plus acceptable. Elle est aussi, comme le pouvoir définitif de l'homme, démystifiée. L'homme ne peut résoudre par lui-même l'énigme de son destin et de son sens. Mais la question, ultime, ne peut plus être vécue au niveau d'une relation avec un « Sujet Supposé Savoir » qui punit si l'on n'est pas sage, et récompense si l'on est bien obéissant.

Alors ?

Il est à noter, au passage, que l'ensemble du document biblique, dans l'essentiel de sa dynamique spécifique, se dégage précisément de cette perspective continuellement resurgissante. Il y a bien les textes sur le « jugement » des bons et des mauvais. Mais tout le reste, à commencer par l'attitude du Christ lui-même, tend bien à montrer que c'est là « manière de parler ».

*

Et dans tout cela, que devient l'amour ?

Pierre épouse Jacqueline. Ils sont jeunes, heureux, ils s'aiment. Ils vont construire ensemble leur vie, et c'est cela leur raison d'être. Ils pensent aux enfants qu'ils auront, à cette exaltante aventure, si banale mais si nouvelle puisque c'est la leur. Et le soir des noces, ils prennent la voiture et partent en voyage pour quelques jours. Ils n'ont pas fait deux cents kilomètres qu'un pneu éclate — et pourtant ils avaient soigneusement tout fait vérifier — la voiture quitte la route et s'écrase sur un arbre. Pierre est tué sur le coup.

Que *devient* cet amour ?...

C'est le genre de choses qui arrivent tous les jours, qui arrivent à tout le monde, un jour ou l'autre, accident ou pas.

C'est la seule question sans aucune réponse. Devant la civière où l'on a étendu le cadavre disloqué de Pierre et devant le regard de Jacqueline, indemne à côté de lui, tous les discours, toutes les théories, toutes les philosophies se brisent net, comme l'océan sur un récif. Rien ne veut plus rien dire, et l'on voudrait brûler tous les livres, se taire et « attendre »... Attendre quoi ? Car le temps continue pour Jacqueline et pour les autres et pour nous, qui passions, et qui nous sommes arrêtés sur le bord de la route.

Un voyage vers le bonheur qui s'interrompt sur la béance... Ce fait divers qui n'a rien de mythique symbolise — au sens fort de *signifiant* — l'existence humaine à la fois universelle et singulière. Je voyage dans ma durée vers cette béance que je sais ; vous aussi ; et nous savons que nous le savons. Transhumance ?...

Mais c'est tellement insupportable, ce récif où se brisent les discours, qu'on s'empresse de rouvrir les livres, et même d'en faire d'autres (vous voyez : je ne peux échapper moi-même à ce mouvement...). Et l'idéologie tend à reprendre ses droits et sa fonction obturatrice : il s'agit de cacher la béance.

Celle-ci, ne pourrait-on après tout la formuler ainsi, comme pour Pierre et Jacqueline : « Que *devient* l'amour ? »

Car l'amour existe, qu'on le veuille ou non, à des degrés infiniment divers. On ne parle même que de lui, souvent sans s'en douter. L'existence concrète n'est faite, à propos de bien des occasions, que de cet innombrable réseau de rencontres et de relations. Nous passons notre temps, pour mille raisons, à entrer dans la vie les uns des autres, pour quelques instants ou « pour toujours ». Quelqu'un qui « entre dans la vie » de quelqu'un d'autre... L'expression est magnifique, et c'est cela l'amour sous toutes ses formes, depuis la simple sympathie jusqu'à la profonde amitié et jusqu'à l'amour du couple. Car l'amour, s'il culmine dans la vie sexuelle et dans son expression, les déborde en même temps très largement. L'amitié, toujours sexuée, n'est pas sexuelle à proprement parler. L'amour, c'est que quelqu'un existe pour moi, avec une intensité et une densité qui me transforment moi-même à cause justement de l'existence de cet autre qui n'est pas moi et qui me sollicite par son mystère, comme je le sollicite par le mien. Le désir lui-même change alors étrangement de sens : il n'est plus désir de posséder, de récupérer inconsciemment ce « quelque chose de perdu » initial qui nous préoccupe au plus profond par son absence définitive et la « plaie » de l'arrachement qui nous a fait naître. Curieusement, sur ce fond de désir obscur, un autre aspect se dévoile, qu'il est bien difficile de nommer : désir de relation ? désir d'échange ? d'enrichissement *réciproque ?* Je dirais que l'amour, sous toutes ses formes et à tous ses degrés, surgit quand on s'aperçoit que l'autre, tel qu'il est, a lui aussi perdu « ce qui manque » et qu'on se met à chercher ensemble.

Mais cet autre, comme moi-même, a d'autres « autres », que je connais ou ne connais pas, et qui du coup existent pour moi, comme les miens existent pour lui. Nous ne sommes sollicités que par cette quête d'amour qui est le dynamisme même de notre conscience. Si l'on se rappelle que l'antipathie ou la haine ne sont que de l'amour déçu ou inversé, il est clair que tout n'est en dernière analyse que cette *question*.

Et il est bien banal de dire que quand on parvient enfin à aimer un peu vraiment, on se met à *vivre,* on souffre et on est heureux. Mais si l'on ne souffre pas, si l'on n'est pas *in-quiet* (au sens étymologique de ce mot) ce n'est pas de l'amour, c'est de la possession réductrice. Car c'est là le paradoxe ultime : on découvre à la fois l'immense joie sans fond de l'amour et l'incapacité radicale à s'y engager dans l'absolu de la plénitude. Nous entrevoyons que c'est bien là que nous nous *trouverons* et dans le même temps, cet irrésistible appel en nous fait surgir une étrange peur de nous y *perdre.* Si nous pouvions seulement parvenir à nous « perdre » pour nous trouver !

En écrivant ces lignes, quelque chose me hante. Une phrase sur de la musique. Rapprochement inattendu, fécond sans doute comme tout ce qui est cocasse. Je fredonne intérieurement un passage de l'invocation à Vénus, dans *la Belle Hélène...* « Ecoute-nous, Vénus la blonde ! *Il nous faut de l'amour, n'en fût-il plus au monde...* »

L'étincelance de la musique d'Offenbach et

l'étourdissante fantaisie de l'Opéra-Bouffe véhiculent curieusement la seule question humaine. « Il nous faut de l'amour, n'en fût-il plus au monde... »

Or justement, dans ce « monde », nous le connaissons, l'amour. Et il n'y *est pas*, en définitive. Il y est, sans y être...

A côté de cela, tout est littérature, ou « éloquence », dirait Verlaine. Même les sciences deviennent secondaires, même les techniques perdent leur intérêt... « Il nous faut de l'amour... »

Adorer le « Sujet Supposé Savoir » ? Zéro ! Moi, je voudrais adorer l'amour.

*

Logique ou non, il me vient ici l'idée de réfléchir sur un phénomème fréquent, curieux, irritant. Il est très varié dans ses manifestations, et peut être ouvertement religieux, mais aussi sans relation *apparente* au phénomène religieux. C'est la constitution et le fonctionnement des « sectes ».

Il me semble en effet que la raison d'être profonde d'une secte, quelle qu'elle soit, c'est d'obturer le « manque » et d'assurer une illusion de sécurité. C'est tellement vrai que le fanatisme en est un aspect presque constituant : quand des étrangers à la secte mettent en question un seul élément de l'édifice conceptuel ou gestuel, l'agressivité des membres atteint aisément et très vite le comble de la violence, au moins verbale ; parfois physique... La secte fait bloc, et ne supporte pas qu'on dévoile la faille essentielle — quand ce ne serait que la relativité de toute chose... — qu'elle croit (inconsciemment...) avoir comblée.

Il y a quelques années, autour d'un illuminé psychiatrique méridional qui se prenait pour le Christ, une secte s'était constituée. Les zélateurs s'en allaient, un peu partout, presser les gens de se « convertir au personnage », sous peine de fin du monde dans les six mois. Et l'on se passait le « don de guérison ». (Le plus embarrassant, il faut bien l'avouer, était que certains textes de l'évangile de saint Marc en particulier étaient invoqués de manière à clouer le bec à toute critique éventuelle...)

Plus récemment, près de Paris, un phénomène du même genre s'est produit, plus restreint mais plus dramatique. Un plombier, après avoir « vu » une grande flamme — genre chalumeau, mais de calibre géant — a reçu directement de la « divinité » — la bonne, évidemment — le pouvoir de guérir. Refus et rejet de la médecine officielle, œuvre maléfique des hommes, amenèrent un beau scandale : trois personnes au moins sont mortes faute de soins dans des conditions quasi médiévales.

Une secte peut être nombreuse, et même très nombreuse. Naguère, à Paris, plusieurs dizaines de milliers de personnes, venant de soixante-dix pays, se sont réunies en congrès. Les dirigeants ont annoncé une paix de mille ans après 1975. Et il ne faudrait pas s'aviser d'être sceptique. Les Témoins de Jéhovah supportent aussi mal l'esprit critique que le service militaire...

Telle secte est politique et annonce ou prépare le retour du roi qui arrangera tout. Telle autre est philosophique et a trouvé la solution à toute interrogation. Il y a des sectes « de droite », des sectes « de gauche », des sectes « catholiques », « protestantes », « musulmanes », etc.

Cela peut même prendre des proportions gigantesques, et devenir effroyablement destructeur. En un certain sens, le nazisme était un phénomène de secte, très précisément, aboutissant à une véritable folie collective qui atteignait les zones les moins apparemment propices : les patriotes à tout crin, en France, ont été souvent les plus ardents « collaborateurs ». Et le phénomène a été si vaste et si puissant qu'on se demande encore comment il a pu se produire.

Le premier caractère, universel et fondamental, de toute secte est de détenir *la* solution ultime, la « saine doctrine », le secret. Le ressort essentiel est en effet une « mystique », prétendument révélée ou non, qui camoufle parfaitement le manque constituant, ou entend l'obturer. « Savoir » et « pouvoir » se tiennent ; et l'insécurité fondamentale est naïvement mais anxieusement masquée.

Le « secret » détenu donne le « pouvoir de guérir », qu'il s'agisse de maladies ou de mal en général. Le tout est à la fois simpliste et compliqué, le plus souvent ; à la fois élémentaire et tortueux, avec des croyances ou des pratiques tenant de la « magie » la plus primitive. C'est, explicitement ou non, la relation trouvée avec le « Sujet Supposé Savoir » qui a livré son secret ou que l'on a forcé. Il s'agit toujours, explicitement ou non, d'une divinité.

Et cette possession est définitive. Le secret est immuable, car si l'on acceptait l'éventualité d'un changement, l'insécurité fondamentale réapparaîtrait, ce qui provoquerait la panique et l'effondrement. Le rêve humain central d'avoir enfin tout résolu s'exacerbe dans le phénomène de la secte et apparaît dans sa pureté et sa dominance. Il n'est pas étonnant que ce phénomène se manifeste presque ostensiblement chez certains tenants de ce qu'on appelle — le mot est déjà révélateur... — la « philosophia *perennis* ».

C'est d'ailleurs pour se défendre contre tout changement ou toute mise en question que la secte se forme en milieu clos. Tantôt la fermeture est une prison, tantôt elle prend l'allure d'un char d'assaut. Société secrète ou propagande agressive. « Initiation » et « conquête » ; ou contagion. On se réunit en secret dans des caves, ou l'on fait des congrès et du porte à porte ; c'est variable. Mais l'attitude est la même : il s'agit de se protéger des questions posées par l'extérieur — et qui sont au plus profond littéralement intolérables — en les ignorant ou en les détruisant. On ne peut nier que certains éléments du Vatican prennent parfois l'allure de sectes... L'agressivité, quand elle se déchaîne, peut être effroyable, et pas seulement verbale. Il y a toujours des fanatiques en puissance, prêts à tuer... Cela se comprend, d'ailleurs, et n'a rien de romantique : la peur du manque est tellement profonde, tellement viscérale, tellement primitive qu'elle n'arrive pas à la conscience comme question. Il m'est arrivé de voir les membres d'une secte politico-religieuse se déchaîner contre moi. Je dois avouer que j'ai eu peur : on sent une telle insondable angoisse derrière ces visages délirants que l'on éprouve, à la lettre, le vertige. Car cette angoisse atteint l'essentiel, le « manque » initial, ce que des psychanalystes appelleraient la « castration fondamentale » et la panique, en quelque sorte, de la « conscience de n'être plus », ce qui est le comble de la souffrance de la conscience... Vertige non de la mort, mais d'une sorte de « non-être vécu »...

La plupart du temps, une secte se constitue autour d'une personnalité forte et très perturbée. Souvent paranoïaque ; violente comme Hitler, ou doucement entêtée. Les pires sont encore, peut-être, les paranoïaques doux... Ils ont une « intuition géniale » ou, quand la référence est explicitement de type religieux, ils ont une révélation directe du « Sujet Supposé Savoir », avec ou sans hallucination visuelle ou auditive. Le « mage » de Compiègne en est un bel exemple. Or il y a toujours « du vrai » dans cette intuition-révélation : un aspect du réel est perçu ; mais il est aussitôt hypertrophié à la dimension qui le rend exclusif des autres aspects — peut-être contradictoires... — par la prétention à occuper tout le champ de l'émotion et de la pensée. Le fondateur est lui-même le lieu extrême de la défense psychotique contre la béance du réel ; il a le secret qui obture... Et tous les « faibles », les angoissés, les obsessionnels, les inhibés, que sais-je, ont tendance à se cristalliser autour de lui, dans une attitude déconcertante de dépendance, de soumission, d'admiration adoratrice extrêmement infantile. On parlera d'aura, de « magnétisme » de « sainteté » du personnage, sans, bien entendu, chercher à comprendre un peu ce qui se passe dans la réalité des interactions affectives. L'abri armé contre la peur collective se construit : rites, habitudes, règles mystérieuses ou puériles à ne pas enfreindre...

Mais si, dans le public, apparaît un second doux paranoïaque, il y a bien des risques de « scission »... L'amibe-secte se partage en deux blocs qui s'anathématisent et disent des horreurs l'un de l'autre. Il y a parfois des sociétés savantes qui donnent, éventuellement, ce spectacle...

En lisant les documents évangéliques, les Actes des apôtres, les lettres des premiers témoins, on voit vite que Jésus était le contraire d'un fondateur de secte. Le phénomène secte était en face : chez les pharisiens. Et il en était le contestateur, essentiellement. Qu'il ait servi, par la suite, de prétexte à la constitution de sectes, c'est bien évident, mais cela ne change rien à ce qui est de lui.

Cela me fait penser au pullulement de sectes ou de secticules « chrétiennes » en Amérique du Nord. Pourquoi ce phénomène, ainsi d'ailleurs que l'intoxication par le L.S.D. ou autre chose, est-il une des conséquences de la civilisation américaine ? En prétendant « assurer le bonheur de l'humanité » — c'est-à-dire combler le manque incomblable... — en arrive-t-elle à en révéler davantage la béance ?

Etrange contraste ! Depuis très longtemps, les hommes cherchent à se connaître. Ils vont voir ailleurs s'il y en a d'autres, ou prendre contact avec ceux dont on sait l'existence mais qu'on n'a jamais vus. Depuis Christophe Colomb, cela s'appelle des explorateurs. On essaie de s'entendre, au milieu des guerres ou des génocides plus ou moins parfaits. Tant bien que mal, depuis un siècle surtout environ, il s'est fait sur la terre un grand progrès pour une sorte de conscience collective. L'homme du XXe siècle se perçoit comme solidaire de tous les autres, même dans la bagarre ; car se battre c'est quand même savoir que l'adversaire existe, et lui reconnaître une certaine importance, une certaine rivalité, donc une égalité foncière...

Les rêveurs généreux, se disant « citoyens du monde », parlent d'un parlement mondial. Mais voilà... Comme ils le conçoivent d'une certaine façon — forcément partielle — qui est la bonne puisque c'est la leur et qu'elle doit *tout* résoudre, le mouvement devient une secte. Le besoin d'unir fait surgir les sectes, comme le désir fait surgir la peur... Et pourtant, comme ce besoin d'unir est fort ! Ce besoin de paix universel... Qui fait justement éclater les divergences, cristalliser les oppositions, pulluler le phénomène de secte, à tous les niveaux.

Il y a dans le cœur de l'homme cette ambivalence fondamentale, que la psychanalyse montre bien : le désir de la rencontre, et la peur panique de l'autre qui dérange en faisant apparaître, irrépressiblement, la béance. Nulle part cette ambivalence ne se manifeste aussi clairement que dans ce phénomène, à mille visages, de la secte.

Or l'amour n'est pas sectaire. Un certain Paul de Tarse le dit quelque part : « L'amour accepte tout, il supporte tout, il cherche à tout comprendre, il est *indéfiniment* extensible et évoluant ; il ne se ferme pas. » Il est toujours en marche — jusqu'à la mort... — à la recherche de ce qu'il peut découvrir dans ce qu'il ne connaît pas, tout en se faisant reconnaître... Pour l'amour, l'autre quel qu'il soit — surtout s'il est différent — est le lieu même d'une rencontre où l'on doit se reconnaître, et vivre ensuite ensemble des choses nouvelles, au prix, s'il le faut, d'un dépouillement des habitudes. La secte est le contraire de l'amour. Peut-être même en est-elle le *refus*... La peur de se perdre...

Elle est aussi le refus de l'évidence. Le refus du mouvement, la méconnaissance de la transhumance, le camouflage de cette insécurité constituante qui est la nôtre et que le temps, le monde du temps, ne résoud pas. La peur de vivre.

En bref, la secte refuse la mort.

Et c'est *cela* qui tue.

2

Est-ce le langage qui crée l'homme, ou l'homme qui crée le langage ?... J'aurais tendance à penser qu'il n'y a pas d'alternative : c'est l'homme qui crée le langage et c'est le langage qui crée l'homme. Mais dans ce sens, dans cette succession « chronologique »...

Les animaux communiquent. C'est évident et bien connu. Ils échangent des informations... Du moins, c'est ainsi que nous, les hommes, nous *désignons* cela ; pour en *parler*, en discuter, réfléchir dessus. Même les dauphins en restent au stade de l'échange des informations. Ils ne font pas de *palabres*. Il semble bien que le passage de l'animal à l'homme — tout au moins dit « moderne » ou « sapiens » — ait été progressif. Mais tout de même quelque chose a dû brusquement changer... Le jour où un être vivant, qui peut-être savait faire du feu, s'est assis devant en se demandant *pourquoi*, et à quoi cela pouvait servir d'*autre*.

Le jour où la béance de la conscience s'est révélée à elle-même. La béance de l'interrogation permanente, de l'insécurité, de l'angoisse. La béance du *sujet*, sur lui-même et sur les autres comme lui. Le jour où cette race nouvelle s'est fiévreusement, timidement, dans une terreur authentique dont témoignent tous les mythes, mise à chercher indéfiniment sa voie sans jamais la trouver. Le « jour » où a commencé l'interminable transhumance...

Et l'ambivalence de la parole se manifeste ; cette parole qui unit, mais qui sépare encore davantage. Le mythe de la tour de Babel ne signifie pas autre chose : cette béance de l'interrogation réciproque se *structure* en langages qui divisent plus qu'ils n'unissent, bien qu'ils *parlent* de la même chose, qui est l'interrogation ultime de l'amour et de la mort.

Il faudrait faire des tests. Très simples. Mais qu'on ne fait pas, sans doute, pour ne pas voir... Si l'on prenait au hasard vingt personnes et qu'on leur demande d'écrire en quelques mots ce qu'ils entendent par « table », on aurait sans doute des réponses assez convergentes, à condition qu'on précise s'il s'agit d'un meuble et non de ce qui, à la fin d'un livre, permet de se repérer. Mais déjà, les *images* que ce mot « table » évoque pour chacun sont forcément différentes, indissolublement fonction de son expérience singulière depuis les phantasmes primitifs de sa petite enfance aux émotions de son adolescence ou de sa jeunesse. « Adieu, notre petite table !... », disait des Grieux. Mais laquelle ? Ce n'est la même pour personne.

Si l'on passe à d'autres mots, la faille est bien plus profonde. Tout le monde parle de « démocratie », par exemple. Nos vingt cobayes donneraient des réponses sans doute fort variées... Ou bien une définition abstraite et stéréotypée qui n'aurait aucun *sens*... Mais il est évident qu'un Allemand de la République « démocratique », un Américain, un Anglais, un Chinois entendent la chose de façon si différente, si *opposée,* si dramatiquement contraignante, qu'on s'entre-tue. Puissance meurtrière des « idéologies » qui se veulent unifiantes. Les « socialistes » s'entre-dévorent.

Les autres aussi, d'ailleurs...

Et quand on dit à quelqu'un « Je t'aime », quelle terrible ambiguïté, pour peu qu'on y réfléchisse *concrètement*. Je t'aime... Cela veut dire je te veux *toi,* tel que tu es, parce que tu es toi, disait Montaigne. Mais en même temps, je te veux *pour moi ;* et quand tu « n'es pas là », je m'inquiète et tu me *manques.* Et je souffre. Et pour toi, c'est pareil ; mais différemment, et d'une manière pour moi inexplorable en définitive. Le « secret » incommunicable de l'autre qu'on aime. Réciproquement. Mais toi que j'aime, tu veux être toi, libre, non enchaîné par mon désir, comme moi que tu aimes je le veux pour moi. Et je te veux libre ; mais mon amour et ma question malgré moi t'en empêchent...

Pourquoi l'amour tel qu'on le vit, pourvu qu'il soit *vrai,* fait-il souffrir ?

Pourquoi se fait-il qu'on ne puisse souvent « comprendre » celui qu'on aime, dans un déchirement suprême, que quand il meurt ?

C'est quand les nuages se déchirent qu'on peut enfin voir le ciel...

Pour tenter de faire partager à sa fille ce qu'elle observait et vivait, Madame de Sévigné lui écrivait des lettres qui chevauchaient pendant des jours. Comme tout, en ce temps, se passait sur ce rythme, les derniers potins de la cour restaient frais plus longtemps. Et on les dégustait tout tranquillement sans être trop vite dérangé par la suite des événements.

Quand j'ai « besoin de parler » avec un de mes amis, à Bruxelles ou à Montréal, je prends le téléphone et je fais irruption chez lui *dans l'instant*. Et il me répond. Peut-être a-t-il envie de « m'envoyer sur les roses » parce que je le dérange... Mais il ne me dit pas ce qu'il pense et cherche à me faire croire que je ne le gêne pas. « Je ne vous dérange pas, cher ami ? — Non, pas du tout, pensez donc ! » Alors qu'il est peut-être en train de causer avec sa femme dans la décontraction d'un moment de tendresse et de paix.

Il me ment. Il ne peut pas faire autrement. Cette fabuleuse facilité de communication qui nous est offerte (cette irruption sans obstacle du langage) nous amène tous les deux à ne plus pouvoir *communiquer*. Comme si nous étions « trop près » l'un de l'autre ; sans cette « distance » (du temps et de l'espace... ce qui est peut-être la même chose...) qui nous permettrait d'*être* pleinement, l'un et l'autre. La facilité accrue de la communication fausse la communication. C'est si vrai qu'il a fallu inventer et mettre au point l'antitéléphone, qu'on appelle répondeur *automatique*. Impersonnel. La fuite devant l'agression immédiate de l'autre toujours possible...

Quand les Irlandais s'entre-tuaient à cause du pape — pour ou contre — au XVIIe ou XVIIIe siècle, le bourgeois de Paris en entendait vaguement parler quelques semaines après. Maintenant, il y *assiste* à la télévision. On *voit* ce qui se passe aux antipodes. C'est merveilleux ! Mais il n'y a plus aucune distance possible, aucun recul, aucune possibilité de souffler. Le paradoxe est bien que les moyens de communication étant désormais universels et immédiats, pour tout le monde — individuellement ou par collectivité —, « l'autre » est *intolérablement* présent tout près et tout le temps. Et cela correspond à un désir ! On a « envie de savoir ce qui se passe ». Mais en même temps on se replie sur son quant-à-soi. « Moi, je ne suis pas comme ça ! — Chez nous, ce serait intolérable... » Les émeutiers de Karachi *sont* dans le salon du petit bourgeois de Levallois ; il veut les voir ; mais cela l'incite à les *refuser*.

Le développement presque parfait des communications humaines fait surgir plus que jamais les réflexes de défense, de ségrégation. De *solitude*. Individuelle ou « raciale » (au sens symbolique de ce terme). Quand j'allume la télé et que j'ai chez moi ce chanteur X ou Y que je ne peux supporter, j'ai envie de lui casser la figure, alors que si je n'avais pas la télé, son existence ne me gênerait pas... Mais je n'éteins pas le poste, parce qu'après il y a un film qui m'intéresse... Alors, quelque chose se dresse entre ce pauvre type et moi, qui ne se serait pas produit si nous n'avions pas pu « communiquer » aussi facilement...

Il faut du temps, de la distance, mille nuances délicates et complexes pour « s'entendre ». Un paradoxe — et non des moindres — de notre temps, c'est que tout cela n'est plus respecté, à cause même de l'effort pour mieux communiquer.

Ce progrès ne mène-t-il pas l'homme moderne vers une tragique et intolérable solitude ?...

En somme, le langage tel que nous le vivons — qu'il soit ou non verbal — amorce la communication et révèle en même temps son impossibilité radicale dans le désir même qu'il en manifeste. Et il révèle en même temps, dans ce désir de communiquer autre chose que des « informations », l'impossibilité fondamentale de trouver la « bonne distance », où l'on serait *totalement* distincts les uns des autres, donc chacun totalement soi ; cette bonne distance où l'on pourrait enfin *être*, chacun et tous ensemble.

A la limite, ne pourrait-on pas dire que *tout* se dira, que tout sera révélé, quand on pourra franchir le seuil du dépassement du langage ? Les bornes des structures...

*

Ce qui caractérise le plus précisément le monde moderne, disions-nous, c'est l'apparition en clair, délibérée, méthodique, d'une nouvelle manière de s'y prendre pour savoir. Certes, depuis bien longtemps, autant qu'on puisse s'en rendre compte, cette manière de s'y prendre se manifestait de temps à autre, au moins comme désir. Mais c'est vraiment à l'articulation de la fin du Moyen Age et du XVIIe siècle qu'elle s'installe pour de bon : on met en marge ou entre parenthèses le « Sujet Supposé Savoir », quel qu'il soit, et on se met à chercher rigoureusement par soi-même. C'est l'attitude proprement *scientifique,* au sens le plus général de ce terme (et non point seulement au sens des sciences « exactes », réductibles en quelque sorte à l'abstraction mathématique [1]).

1. Einstein n'a-t-il pas posé *exactement* la question de savoir si rien pouvait être rigoureusement *exact,* c'est-à-dire *immobile ?*

L'homme moderne cherche à savoir, sait, et progresse dans son savoir par lui-même. Il ne recourt plus, pour combler à ce niveau son insécurité, à un monde « transcendant » qui détiendrait le savoir. Je dis bien *à ce niveau;* car, de fait, l'incompréhensible de l'insécurité humaine ne fait qu'apparaître davantage, mais sur un mode nouveau.

Mais qui détient le savoir détient le pouvoir, ou du moins l'autorité.

S'il n'y a plus de « Sujet Supposé Savoir », qui donc va dire ce qu'il faut faire, et sanctionner d'une manière ou d'une autre ceux qui font le contraire, ou autre chose ? Car c'est cela, finalement, l'autorité.

Jadis, c'était « le roi ». Ou le prêtre (individuellement ou en « corps constitué »), au sens sacral de ce terme. Le chef et le sorcier ; dans la collusion dialectique de ces deux notions... Entre les hommes et le « Sujet Supposé Savoir », il y avait une sorte de race intermédiaire et quasiment magique qui participait, par privilège plus ou moins ésotérique, au savoir transcendant. Race à deux versants, précisément : le « sorcier » et le « chef ». Tantôt distincts et se disputant le pouvoir *sur* les autres. Tantôt confondus dans ce que l'on peut appeler, très généralement, une organisation « théocratique ». L'empereur d'Occident à Canossa et la fameuse gifle, par procuration, de

Philippe le Bel s'inscrivent dans cette dynamique.

Cette conception, indiscutablement, comme l'a montré Freud, était en rapport avec le conflit fondamental du « père primitif » et de ceux qu'il engendre ; la « mère » étant la « société », au *sein* de laquelle on se trouve...

Mais, par un processus logique, c'est cela qui est mis en question. L'autorité n'est plus située comme dégringolant « hiérarchiquement » de la divinité, par le truchement des races sacrales. On ne supporte plus de « hiérarchie sacrale ». Et comme il faut s'organiser, se concerter (le mot est très riche de sens...), on cherche à mettre en place une « hiérarchie » *fonctionnelle.* (Qui n'est plus proprement une hiérarchie, puisque le mot veut dire gouvernement par le « hiéreus », c'est-à-dire le sacré...) Se concerter... Le chef d'orchestre ne *sait pas* quelque chose de transcendant ; sa formation, sa sensibilité et sa place en font le cristallisateur, le stimulant, celui qui déclenche et coordonne. C'est tout ; dans les deux sens de cette expression, puisque autrement il n'y aurait pas de concert... Désormais, ce qu'on veut, c'est que celui qui *gouverne* l'ensemble ne soit pas d'une autre race, mais chargé, par sa compétence, d'assurer cette fonction. Le pouvoir *pour* ; et non plus le pouvoir *sur*... (« Que celui qui est le premier parmi vous soit comme celui qui sert... », disait Jésus.)

La notion même d'autorité change totalement

de sens. C'est probablement la question de fond de notre temps.

Mais le besoin de sacraliser et d'adorer reste le réflexe de base... De là à adorer le mythe du « peuple », de la « race », du « parti », du « prolétariat », des « travailleurs » (comme s'il y avait beaucoup, de par le monde, de gens qui ne font *vraiment* rien...), il n'y a que le pas qui mène à Robespierre, à la Gestapo, à la N.K.V.D., aux « milices » de toutes sortes... Et l'idole dévorante renaît de ses cendres mêmes... On retombe dans l'autorité d'un « Sujet Supposé Savoir »...

L'alternance entre la « démocratie » et la dictature (toujours sacrale, surtout si elle s'en défend...) est une loi fondamentale de l'histoire. Le rythme en est variable, mais la signification permanente.

Cet immense, innombrable, milliardiquement grouillant troupeau des hommes va quelque part, dans une perpétuelle démarche qui est la *sienne*. Quelque part... On n'arrive pas à savoir exactement où... Mais on y va tout droit, malgré les détours. En travers de ce « où ? », il y a la mort. Pour ça, on sait...

Et pas plus que l'autorité « sacrale » devenue légitimement intolérable, l'autorité « fonctionnelle » ne parvient à résoudre *ce* problème. Qui est en définitive le seul...

Ce n'est pas réjouissant, direz-vous... A première vue, j'avoue... Mais qui *sait* ?...

Ce qui me plonge le plus dans la perplexité, c'est que ce dilemme, cette tension essentielle de l'autorité « sacrale » ou fonctionnelle, ne se révèlent en fait clairement, explicitement, crûment, dirais-je, que dans les temps modernes. Jusque-là, cette question n'était encore que virtuelle. C'est elle qui nous est donnée à vivre, et qui est l'aboutissement de centaines de milliers d'années de ce processus étrange qu'on appelle la pensée... Consciente, interrogative et contradictoire. Quel *sens* ultime contient cet énorme processus évolutif, qui aboutit à la conscience aiguë d'un *drame* qui est le nôtre, le mien, le vôtre ?...

Nous ne supportons plus — et c'est, semble-t-il, irréversible — le « fatum » antique qui nous écraserait sans rien nous *dire*. A ce point de vue, je réagis comme Job. Et je pense que je ne suis pas le seul. La « révolte » de l'homme moderne n'est plus exactement une révolte d'esclaves, ni même d'« exploités ». Elle est bien plus profonde. Elle est révolte contre l'*autorité,* en tant qu'elle détiendrait l'ultime du secret des choses, la « clef » de notre angoisse, la réponse exhaustive à notre espérance.

*

La civilisation...

Voilà le sens de la transhumance, n'est-ce pas ?

Et voilà qui fait penser à de sordides histoires

de contradictions, de meurtres, de ridicules, d'effondrements. Angkor. Rome. Babylone. Byzance. Et tant d'autres dont nous n'avons peut-être qu'un vague soupçon.

La civilisation, fait *humain*. Spécifique. Merveille de la recherche et de la création. Les Pyramides et la tour Montparnasse... Avec le problème connexe et compliqué des cimetières, des « nécropoles ». Car c'est finalement ce qui reste le plus : les nécropoles. Et c'est par là que les petits jeunes que sont les hommes du XXe siècle font connaissance avec les civilisations, dont il ne reste que ça...

Mais prenons la question par un autre bout. Lisant l'autre jour un de ces contes brefs qu'Alphonse Allais égrenait au début du siècle, je suis tombé sur un passage bouleversant. Bien plus que les philosophes, les humoristes, quand on sait les lire, vous atteignent à l'essentiel.

C'est une discussion entre le duc Honneau de la Lunerie et son ami Laflamme.

« La civilisation, s'écrie ce dernier, qu'est-ce que c'est, sinon la caserne, le bureau, l'usine, les apéritifs et les garçons de banque ?... L'homme est si peu le roi de la Nature qu'il est le seul des animaux qui ne puisse rien faire sans payer. Les bêtes mangent *à l'œil,* boivent *à l'œil,* aiment *à l'œil...*

« ... Avez-vous jamais vu un daim se ruiner pour une biche ? Le cochon le plus dévoyé ne peut-il pas se livrer à toutes ses cochonneries, sans qu'un de ses confrères, déguisé en sergent de ville ou en huissier, ne vienne lui présenter un mandat d'arrêt ou un billet à ordre ? Dites-le-moi franchement, qui de vous peut se vanter d'avoir assisté au spectacle d'une sarigue tirant un sou de sa poche ?

« Pas un de nous ne releva le défi. »

C'est par réfléchir d'abord là-dessus que sociologues, économistes, philosophes (et éventuellement théologiens) devraient commencer. La civilisation, *c'est* l'artifice d'une organisation que l'on est bien obligé d'inventer, dès que l'on a ce supplément de cerveau qui vous déphase par rapport à « la Nature ». Et c'est, fatalement, la lutte, les brimades, l'argent, le gendarme...

Sous quelque forme que ce soit.

Tant que l'organisation est, *grosso modo,* positive pour le plus grand nombre, tout le monde en supporte — ou en méconnaît — les inconvénients.

Mais vient un jour où l'on se rend compte, obscurément, que la proportion s'est lentement renversée. Et l'on *ne sait plus quoi faire.*

Quitte à choquer, à faire hurler, à faire sourire ceux qui me liront, je dis ce que je pense : nous entrons dans ce « jour ». Toute la civilisation occidentale (au sens le plus large, car l'Amérique n'en est qu'un symptôme peut-être plus aigu), toute cette lente et complexe évolution séculaire, d'abord de « chrétienté » conquérante, puis d'éclosion scientifique, tout cet ensemble énorme de structures qui permet, entre autres, d'aller se promener sur la lune, c'est cette civilisation qui entre en décadence.

Il nous faut, je pense, en prendre *sereinement* conscience ; peut-être pour ralentir ou atténuer les drames de cette décadence. Peut-être pour transformer notre civilisation en « modus vivendi », en compromis à peu près vivable ? Pour ma part, cela m'étonnerait ; car ce serait vraiment nouveau dans l'histoire que les hommes se rendent compte ensemble, dans une lucidité collective et courageuse, qu'ils ne *peuvent pas* combler cette béance inaugurale qui les fait être ce qu'ils sont...

Y a-t-il une civilisation qui, *comme telle,* assumerait l'irréductibilité de cette béance ?

En d'autres termes, le propre de la civilisation humaine, son mal interne en somme, n'est-il pas précisément la croyance implicite et illusoire qu'on *va* combler la béance ? En écrasant ceux qui interrogent ou qui mettent en doute le « système », en faisant taire ceux qui posent les questions non résolues, en étouffant leur voix par la mort, la prison, le bruit, la moquerie, l'argent ou la torture...

Oui, ce que je dis là n'est pas agréable ; à la limite, pas supportable. Mais c'est ; qu'on le veuille ou non. Le désarroi profond de notre monde n'est-il pas, somme toute, dans l'immense désillusion encore inacceptée qui nous ramène à cette évidence d'un vide qui fait peur et qu'on ne veut pas *regarder* ?...

Le difficile est de garder un « œil clinique » dans une maladie dont on est soi-même victime. Le recul favorable au diagnostic est difficile à prendre. On est trop dans le coup. Mais le privilège de l'homme — cet hyper-cerveau... — est justement de pouvoir le faire quand même, au moins en partie, et de façon juste. Il y a les médecins, et aussi des gens informés, qui font sur eux-mêmes le diagnostic exact du cancer qui les atteint. L'important est de ne pas voir tel signe *en soi,* mais comme susceptible de signifier quelque chose. L'aspirine n'est pas une réponse. Et il est nécessaire de ne pas soulager *trop vite* certaines douleurs abdominales, si l'on ne veut pas méconnaître l'atteinte grave d'un organe profond, ce qui amènerait la mort, fût-ce dans l'euphorie...

Or, il y a des signes.

Le « hippisme » ; la drogue ; l'obsession pornographique. Plus graves, en tant que signes, que la violence ou la révolte... La révolte est réaliste ; elle exprime au moins une réaction saine d'adulte qui ne veut pas mourir. Mais cette « triade symptomatique » est essentiellement régressive. Tout se passe comme si, parvenue au point où nous sommes, la civilisation qui est la nôtre faisait surgir chez un certain nombre de jeunes des fuites dans le rêve, des évasions hallucinatoires, ou la dominance désespérément obsessionnelle des phantasmes sexuels les plus infantiles.

Toute civilisation est mortelle ; il y a des temps où on l'oublie, d'autres où l'on s'en aperçoit... Nous sommes sans doute dans un de ces moments où les hommes ne peuvent plus ne pas s'en apercevoir.

Le moins qu'on puisse en dire est que ce n'est pas confortable.

Et le comble du raffinement, c'est que l'homme a inventé, de par son progrès même, comme une sorte de nouveau regard sur lui-même, qui se révèle impitoyable : la photographie et le cinéma. L'homme moderne, singulier ou collectif, *se voit* comme s'il était à l'extérieur de lui pour regarder. Comme s'il se dédoublait. Comme s'il était à la fois lui et un autre... qui serait pourtant lui.

Il se trouve que ce « regard » — absolument nouveau depuis Nicéphore Niepce... — atteint l'*intolérable.* Il y a quelques années, des essais thérapeutiques ont été faits sur le delirium tremens. Un malade était amené à l'hôpital en pleine crise, incohérent, délirant, horrible, dégradé, totalement inconscient. On le filmait dans cet état. Puis, quand il sortait de la phase aiguë, sous l'effet du traitement d'urgence, on cherchait à pousser plus loin, à le guérir de son alcoolisme. Et quand il était revenu à une lucidité suffisante, on lui montrait le film.

Le choc était tel qu'il y a eu des suicides, et qu'on a dû cesser les expériences...

Le choc de se voir dans sa propre déchéance. Naïvement, les médecins avaient pensé, dans un touchant simplisme moraliste, que cela suffisait à ramener ces pauvres bougres « dans le droit chemin » ! Et le drame était exacerbé.

Or, l'homme moderne, en tant qu'individuel *et* collectif tout à la fois, assiste à sa déchéance de la même façon. Dans son living-room ou sa cuisine, dans le train, le métro, au cinéma, dans son lit avant de s'endormir, il *voit* ce qu'il fait, à la « télé », aux actualités ou dans les magazines : le voyage sur la lune, sans doute, mais aussi les cadavres, les incendies, les crânes fracassés, les fusillades, le sang qui coule, les « drames de la route », les sordides misères dont il se sent vaguement solidaire ou coupable. Il ne le *sait* pas seulement ; il les *voit*. Il *se voit*. Comme le delirium tremens.

Est-ce, à la limite, supportable ?

Et pourtant, c'est vrai.

D'ailleurs, c'est justement ce qui n'est peut-être pas supportable et qui introduit le désarroi fondamental.

Ceux qui ont vécu l'explosion photo-cinématographique de 1944-46 se souviennent peut-être... On voyait partout, jusque dans les vitrines les plus banales, les « documents » : horreurs de la résistance et de la milice, Oradour, les cadavres, les déportés, les « morts vivants »... Tout ce qu'« on » avait *laissé faire*. (Y avait-il moyen de faire autrement?...) Tout ce qu'« on » avait eu *envie de faire* — parfaitement ! — sans se l'avouer ou en repoussant l'idée...

Je ne crois pas que beaucoup de gens aient réalisé sur le moment — ni se rappellent — l'impact que cela représentait : la participation de tous, à quelque niveau et sur quelque mode que ce soit, à la « barbarie » fondamentale.

On ne « savait » plus seulement.

On *voyait.*

Impitoyablement, l'homme moderne — vous et moi, n'est-ce pas — est confronté à lui-même. Et ce n'est ni simple, ni idyllique, ni très flatteur...

L'illusion s'écroule, inexorablement, d'une civilisation qui « sauve »...

L'homme moderne *se voit* comme il est : contradictoire et dramatique. Et ce n'est pas fini, d'explorer ce que signifie ce *regard...*

Avez-vous sérieusement regardé une photo de vous ? De face, ou de dos. De face, on fait encore une certaine accommodation. Chacun n'a de soi, primordialement, qu'une image en miroir, c'est-à-dire inversée. La psychanalyse nous apprend d'ailleurs que c'est en quelque sorte l'image primitive que l'enfant commence à élaborer de lui-même. Mais on prend vite l'habitude de se voir aussi à l'endroit, *comme les autres nous voient,* de « l'extérieur », grâce aux nombreuses et diverses photos, courantes ou « de circonstance ». Certes, si l'on concentre son attention sur tel ou tel cliché, on est vaguement saisi de quelque chose qui ressemble bien à de l'inquiétude ; on ne se « reconnaît » pas tout à fait..., on s'interroge sur le regard des autres sur soi. Mais on *voit* tout de même son propre regard, bien qu'il apparaisse, pour une part, énigmatique.

De dos, l'incertitude est totale et peut aller jusqu'à un sentiment d'étrangeté. C'est ainsi que « l'autre » me voit quand *je ne regarde pas ?* Quand mon regard ne contrôle pas ou ne canalise pas le regard de l'autre ? Quand je ne peux en aucune manière sentir confusément si « l'autre » m'aime, me hait, me supporte ?... Et puis, qu'est-ce que je regarde, sur cette photo où je ne vois que ma nuque, mes épaules et mes oreilles ? Je suis incertain, jusqu'au malaise, sur mon propre regard, que je ne *vois* pas... Je me vois ne sachant pas ce que je regarde...

C'est une situation — banale — qui ne s'était pas produite jusqu'à Nicéphore Niepce, et jusqu'aux frères Lumière.

La découverte de ce regard dédoublé sur soi-même que sont la photographie et le cinéma ne serait-elle pas un des éléments les plus subtils et les plus irréversibles du désarroi profond de l'homme moderne ? Et se confronter directement à la contradiction insoluble de sa recherche n'est pas confortable. L'homme moderne se voit à la fois marchant sur la lune et artisan ou victime de massacres. Et le pire, c'est qu'inconsciemment il se dit que pour la lune il est peu probable que ce fait le concerne directement dans sa personnalité singulière et dans sa propre durée... Tandis que les massacres...

Il ne peut pas ne pas se souvenir — surtout s'il repousse cette évocation — qu'un de ses amis officiers a — de bonne foi ! — torturé des « fellouzes », ou que son oncle est mort à Ravensbruck sans que personne ait jamais compris vraiment pourquoi...

Le cinéma n'est pas seulement un art. Il comporte — petit ou grand écran — ce terrible pouvoir du regard. Direct ou élaboré. Pouvoir décuplé quant à la photo fixe : on se *voit* vivre, on se *voit* tuer, on se *voit* mourir...

Cela devient comme une exacerbation de la connaissance. De par le progrès même des moyens de se connaître, l'homme moderne est confronté sans échappatoire possible avec sa propre horreur, que la « civilisation » ne parvient plus à masquer... La fuite dans l'obsession « pornographique » s'explique, après tout. Elle ne fait d'ailleurs que souligner et accentuer le désespoir, quant à l'amour possible...

L'étape présente de la transhumance est une bien rude épreuve de vérité !

*

Depuis cent cinquante ou deux cents ans, un dynamisme jusque-là virtuel dans l'humanité s'est ouvertement déclaré et mis en marche : recherche scientifique, technique, industrie. Le « monde occidental » en a été le lieu explicite ; mais ce dynamisme et ses résultats ont été bien vite confrontés avec d'autres « cultures », prêtes à l'accueillir ou craintives, sinon réticentes. C'est ce mode nouveau de civilisation qui prévaut partout, même s'il paraît contradictoire dans certaines zones de culture, parfois très vastes, comme la chinoise, l'islamique ou l'hindoue... La télévision côtoie des vaches sacrées ; et Mao Tsé-toung...

Mais l'éclosion irrésistible et bouleversante de cette nouvelle « manière de vivre », de cette nouvelle puissance — (*nouvelles,* dans le sens le plus radical de ce terme...) — est la caractéristique de notre temps. Ce qui d'ailleurs est fort loin d'amorcer — même de loin — la convergence et l'unité des « cultures »...

Or, cette « civilisation moderne », qui se superpose plus ou moins harmonieusement à ce qui l'a précédée, est tendue à craquer. Comme une corde au-dessus du vide de la « béance »... Ou comme un « plus léger que l'air » qui aurait fait *oublier* la pesanteur...

Elle exacerbe jusqu'à l'intolérable deux aspects (au moins...) de l'insoluble dialectique humaine : conscience singulière — conscience collective ; risque et impossible sécurité.

C'est au moment, à quelques décades près, où se déclenchait le processus « moderne », que le besoin s'est fait sentir — pour organiser et contrôler — de préciser et de fixer d'une certaine façon les *identités singulières*. Le début date, si je ne me trompe, du XVIe siècle, et très précisément, en France, de François Ier[1]. Les « registres », où l'on pourrait savoir, au-delà des imprécisions et de la caducité, qui était qui, fils de qui et père de qui. Avant — sauf pour les rares et grands notables — il n'y avait rien. Cela n'avait pas d'importance. La foule des braves gens vivait et mourait sans qu'on s'en préoccupe, dans une sorte de perception instinctive de la relativité de l'existence... C'est à partir de 1500 et quelque, que le fils d'un savetier astucieux et débrouillard — qu'on avait surnommé « l'éveillé » — a été inscrit quelque part comme « fils de l'Eveillé », appelé et reconnu comme tel, *dénommé* Léveillé (ou Leveilley, ou Léveyet...). Même s'il s'est avéré par la suite particulièrement abruti, d'ailleurs. Son *nom* était fixé. De père en

1. Après le Concile de Trente !...

fils. Avec un pré-nom, pour singulariser davantage. Il n'était plus « fils de » plus ou moins « anonyme » ; mais Norbert (en l'honneur du saint...) Léveillé, fils de... Les femmes, alors, n'avaient guère d'importance autre que de donner des fils aux hommes... Mais, par nécessité de repérage, il a bien fallu tenir compte d'elles, puisqu'elles étaient forcément, elles aussi, filles d'un père...

Vous qui me lisez, vous rendez-vous compte que votre « décaïeul » génital, avant François Ier, n'avait de nom dans aucun document officiel ?

L'état civil — façon de parler, car il était assuré par le système ecclésiastique — date du XVIe siècle.

Le besoin de *personnaliser* les hommes d'une manière qui braverait le temps date des pré-débuts de l'ère moderne.

Et il est *concomitant* du besoin de constituer des ensembles sociaux fortement structurés.

Car c'est là le paradoxe. La Sécurité sociale en est, me semble-t-il, une belle illustration. D'une part, elle exprime et organise un désir et une promotion de solidarité sociale ; c'est-à-dire de cette conscience que les hommes prennent devant les menaces diverses de l'existence, d'être profondément interdépendants. A ce point de vue, il est indiscutable que Sécurité sociale et Allocations familiales sont des dispositions législatives qui manifestent un progrès dans la prise de conscience « d'être ensemble », et dans les changements de mentalité que cela comporte. La façon d'affronter l'inconnu de la vie (maladies, gosses...) a profondément changé. Malgré les réticences égocentriques ou limitatives, l'homme moderne cherche collectivement à combler la « béance de vivre », c'est-à-dire à vivre vraiment *socialement,* avec une conscience « les uns des autres » — bon gré, mal gré... — qui est en fait, elle aussi, tout à fait nouvelle.

Mais, d'autre part — et c'est la conséquence logique — pour que cela ne tourne pas à la pagaille généralisée ou à la foire d'empoigne (ce qui est la même chose), il faut promouvoir un système de plus en plus méticuleux d'individualisation repérable. Cartes, « papiers », formulaires, certificats...

Les nécessités du progrès dans la socialisation — et c'est un *progrès* — se traduisent automatiquement par un effort technique extrêmement complexe de repérage des *identités.* Mais il s'agit alors, en quelque sorte, d'identités dépersonnalisées. Des identités de fiches ou de cartes perforées — mathématiques... — dont la réalité concrète utilisable ne peut s'établir qu'au prix de l'abstraction des personnalités existantes, dans leur propre complexité qui ne saurait être mise en fiches.

Le processus aboutit à cette situation, beaucoup plus dramatique qu'on ne le croit : pour comprendre quelque chose dans les « papiers » qu'on est obligé de faire, il devient nécessaire de faire des études spécialisées... Et plus on est *repéré,* classé, identifié quant aux fiches, moins on est *connu* en tant que *sujet* qui a son mot à dire. (« Sujet » est à entendre ici au sens moderne, et non d'ancien régime...)

On en vient à se marier à l'ordinateur !

La mécanique identifiante... Cela devient une nécessité inéluctable ; et inéluctablement cela dépersonnalise !

On présentait à un important P.D.G. des candidates secrétaires, et on lui soumettait en même temps les dossiers « psychotechniques » laborieusement établis. A la fin de l'épreuve, sur six ou sept candidates, le P.D.G. en choisissait une. Et on lui faisait respectueusement remarquer que c'était elle qui avait les plus mauvais « tests ». « Mais, Monsieur le Président directeur général, puis-je vous demander pourquoi justement vous choisissez celle-là ? — Parce qu'elle est blonde, qu'elle a de jolis yeux, qu'elle me plaît, et que j'ai l'impression qu'on pourra s'entendre... »

Le plus grave, c'est que si cela continue, dans quelques années, aucun P.D.G. n'osera faire une telle réponse, de peur de passer pour un imbécile !

Le progrès technique et industriel — tests compris ! — tend de soi à la contradiction du socialisé qui identifie, mais dépersonnalise. Il tend à ce qu'on pourrait appeler l'anonymat collectif, tout en même temps que s'élabore, par les progrès de la pensée, une perception aiguë de la personne comme telle.

Un de mes correspondants, directement pris dans cet engrenage au niveau des structures actuelles d'une grande « entreprise », m'écrit quelques lignes qui me font réfléchir, car il perçoit ce processus inéluctable avec acuité :

« Chaque cadre pris en particulier est un homme de bonne volonté, mais il se trouve être dans les grands systèmes *capitalistes ou socialistes* (je souligne le rapprochement...) l'un des échelons, l'un des rouages d'un immense ensemble, où nulle part un homme seul ne tient les leviers de commande... »

C'est-à-dire où nulle part, à la limite, *quelqu'un* pourrait répondre à *quelqu'un* qui lui demande des comptes...

C'est-à-dire, à la limite, un immense ensemble où l'on est, *tous ensemble,* nommés, étiquetés, fichés, « programmés »... Mais il n'y a plus *personne...*

Le plus grand paradoxe de la civilisation « moderne » est que la perception de la personne comme telle — lieu d'initiative et de liberté — ait amené un progrès tel de la pensée, de la connaissance et de la technique, qu'il aboutisse à cette énorme et inéluctable organisation qui numérote avec minutie et méconnaît de plus en plus l'irrépressible et inacceptable *mystère* du singulier *humain.*

Un certain courant du structuralisme — en tant que système, et non en tant que méthode... — me paraît exprimer sur un mode qui se voudrait philosophique cet aboutissement.

Ce n'est peut-être que la défense invincible contre l'interrogation sans réponse, réciproque, de la conscience singulière et de la conscience « ensemble »...

Qui suis-je ? et où va-t-on ?

La civilisation moderne en arrive à ce que la question soit *vécue,* par chacun et par tous à des degrés divers d'intensité, d'une manière qui atteint humainement l'*intolérable.*

Quel est le *sens* de la transhumance humaine ?

Robert et Simone viennent consulter le gynécologue supposé compétent. Ils veulent avoir des enfants. Mais leur « générosité » (comme disent les « curés »...) veut être intelligente et raisonnable. Et ils ont raison, n'est-ce pas ?... Ils veulent avoir des enfants à coup sûr — si j'ose ainsi dire... Quand ils savent que c'est souhaitable et possible, pour l'avenir des gosses, et en étant sûrs qu'il n'y aura pas de « ratés génétiques »... Ils veulent éliminer tous les risques... Et qui songerait à le leur reprocher ?

Le samedi, ils vont en week-end. C'est normal.

Ils prennent leur voiture, avec les deux enfants qu'ils ont déjà, et s'embarquent sur l'autoroute A quelque chose, ou sur la nationale X... Ils n'ont, statistiquement, que 80 chances sur 100 de survie ; et ils le *savent,* car cela s'est dit dans les journaux ; mais ils l'*oublient,* ils le scotomisent, ils en font abstraction...

C'est le symbole même de notre civilisation. La dialectique du *risque.*

D'une part, on évacue, résout, supprime le risque (c'est-à-dire la perspective de l'échec et de la mort) par la puissance même de la maîtrise scientifique et technique. Et, d'autre part, le même mouvement nous amène à « risquer » beaucoup plus, de façon immédiate, et sans doute plus dramatique. La mortalité infantile est tombée, en deux cents ans, de 70 % à 1,5 %, en gros. Mais la mortalité des « moyens de transports » a augmenté dans des proportions si vertigineuses qu'elles ne sont pas chiffrables.

Combien — proportionnellement à la population — y avait-il de morts par diligence en 1830 ? Combien y avait-il de morts par guerre en 1850 ou 1870 ?

En 1939-45, rien qu'en Allemagne, indépendamment des champs de bataille épars sur le monde, il y a eu vingt *millions* de morts venus d'un peu partout.

Vingt *millions*... Il y a de quoi réfléchir.

Eliminer les risques... C'est la hantise de la civilisation moderne. Et cela le reste, fondamentalement. Dans un réflexe éperdu, d'autant plus éperdu peut-être qu'on se rend compte qu'il ne résout rien...

C'est le *même* processus — scientifique, technique et industriel — qui aboutit à la sécurité éblouissante de précision des voyages en avion (bien plus sûrs que la voiture...) ou des explorations lunaires, et à ce *fait* affolant (ce qui veut dire : à rendre fou...) : pour la première fois dans l'histoire, depuis quelques années, l'homme moderne dispose *réellement* du pouvoir — atomique, chimique ou bactériologique — de se détruire intégralement...

L'élimination des inconforts et des risques a conduit à la *possession* du risque ultime : provoquer la mort totale.

Il ne s'agit pas de « littérature ». Mais alors, qu'est-ce que cela veut dire ?

Les fourmis ne se posent pas de questions. Moi, si...

L'apocalypse, dans son imagerie symbolique, est devenue réellement possible. Nous sommes confrontés à cette déconcertante constatation que l'homme crève — et risque de crever pour de bon en tant que race... — parce qu'il oublie ou ne veut pas voir qu'il est *mortel*. Et que cela pose une question...

D'après les données les plus récentes de la paléontologie, il n'est pas invraisemblable de situer l'émergence de la race humaine à trois millions d'années avant vous et moi. Vous réalisez ? de père en fils...

D'après les données les plus récentes de la science et de la technique, il n'est *plus impensable* que l'homme se détruise sans rémission dans les décades qui viennent. Cela dépend de quelques poignées de fanatiques, de quelque horizon politique ou culturel que ce soit. Les « idéologies » sont devenues *intégralement* meurtrières...

Où est « l'absurde » ?

Sinon dans l'homme lui-même — vous et moi y compris — qui se ferme les yeux sur *sa* question...

*

Ce qui se passe aux « pays nordiques » n'est pas sans intérêt et pose le problème du progrès dans toute son ambivalence. Il s'agit de la grève qui a éclaté en Laponie suédoise et qui pose brutalement la question de la philosophie du « bien-être », issu du progrès ; ne serait-elle qu'une illusion monstrueuse ? En croyant qu'il peut, par une certaine perfection d'organisation bien contrôlée, et grâce au progrès, parvenir à la béatitude enfin parfaite, l'homme du XXe siècle en est arrivé à se casser dramatiquement la figure.

Cela lui montre, avec une évidence cruelle, qu'il tend encore à refuser, que la transhumance ne s'achève pas au niveau du repérable et de l'imaginaire. Le rêve d'un monde parfait accessible par le progrès est le pire des pièges. Contre cette illusion, la révolte est terrible, car elle paraît à première vue absurde. On a tout pour être heureux : sécurité, confort, télévision, machine à laver... Et c'est justement contre ce « bonheur »-là que la révolte éclate. Le « bien-être » apparaît comme aussi intolérable que la misère.

Et pourtant, qui pourrait nier la valeur du progrès ? Vivre mieux, souffrir moins, profiter davantage de la richesse du monde, c'est la vocation même de l'homme qui, selon la Genèse, est appelé à « cultiver le jardin ».

Mais le rejaillissement du désir est indéfini. Le progrès ne fait que l'exacerber. Ayant mieux, on veut mieux encore, à perte de vue. Un jour éclate la contradiction : on ne s'était pas aperçu qu'en progressant on provoquait insidieusement des complications insolubles. Ou bien personne ne voulait écouter les rares esprits lucides qui cherchaient à mettre en garde.

Un phénomène actuel, en ce sens, est particulièrement significatif : notre civilisation urbaine, industrielle, technique, se révèle comme étant *de soi,* mortelle, et l'accroissement considérable de la population humaine est concomitant. On dirait que les hommes, en voulant vivre, se développer, maîtriser à leur service la nature, tendent à se tuer par leur activité même. La science ne peut être neutre que pour les chercheurs. L'immense majorité des hommes tend à l'utiliser pour un « mieux » ou pour un « plus facile ». Et les « savants sereins » eux-mêmes se servent de ce qu'ils n'auraient peut-être pas voulu. Ils ne peuvent faire autrement ; il faut bien qu'ils prennent l'avion pour aller dans les congrès, qu'ils fassent laver leurs chemises, qu'ils fassent leurs emplettes... Or, ces nécessités, dans le monde qui est le nôtre, se font sur un mode perfectionné qui intoxique et étouffe inexorablement. Dans son effort pour braver le temps, c'est-à-dire pour « obturer » le vertige de la destruction et la mort, l'homme est parvenu à fabriquer de l'indestructible, au sens strict. Et il menace d'être étouffé par son résultat même. Il ne peut plus détruire, dissoudre ou décomposer certains détergents ; et plus on en fabrique, et plus on les utilise, plus ils grignotent le monde vivant qui nous fait vivre et dont nous sommes, en quelque sorte, l'expression suprême. Les emballages de produits courants et multiples sont désormais, eux aussi, indestructibles. Ils deviennent menaçants et l'on ne sait plus qu'en faire, comme un cadavre qui serait à la fois grandissant et imputrescible. L'homme, phénomène transitoire par son versant biologique, est parvenu à faire de l'*indéfini*, qui l'étouffe dans sa recherche même et fait surgir l'angoisse. La civilisation, maintenant, produit des déchets perdurables et *fixes*, mais qui vont s'accumulant. C'est là le paradoxe : l'homme a vaincu le temps, et cela même le tue inexorablement, parce qu'il ne l'a vaincu qu'au niveau de ses déchets.

C'est sans doute qu'il est fait pour autre chose que l'indéfini... Pour autre chose que le *temps* ?

L'effroyable aventure du nazisme est tragiquement significative. Sous l'emprise d'une idéologie délirante et proprement régressive — le racisme — des milliers d'hommes ont engagé le processus de la destruction humaine. Des médecins et des savants — et non des moindres ! — ont été comme les autres emportés par le vertige. Buchenwald, Auschwitz, Belzec... La monstrueuse hypertrophie de la science appliquée au service d'une orgueilleuse idolâtrie.

Et ceux qui savaient se sont tus. Kurt Gerstein a tenté de se faire entendre, de dire au monde « civilisé » ce qui se passait... Tout le monde s'est bouché les oreilles ; à commencer par le nonce apostolique Orsenigo...

« Le monde occidental — que supplie Gerstein

— il suffit d'en pousser quelques planches pourries pour découvrir ce qu'il est : un terrain vague que se disputent des chiffonniers à coups de bouteilles vides. Un trou sans fond où grouillent les vermines qui, de tout temps, ont ravagé le cœur des hommes — et parmi elles, régnant sur toutes les autres, l'indifférence.

« L'homme n'est pas un loup pour l'homme.

« Seulement un étranger [1]. »

Le loup, peut-être, n'est pas un « étranger » pour le loup...

Ainsi la merveille éblouissante de la communication des consciences aboutit-elle à cette « indifférence »... Bien autre chose que la haine, qui est encore une relation.

Ainsi la transhumance, dans le réel de son insertion temporelle, aboutit-elle à ce que le « troupeau » tourne en rond et s'entre-dévore, dans le désert de l'incompréhensible. Parce qu'il prétend *comprendre.* Au lieu d'aimer...

La psychanalyse, ici, nous confronte de façon fulgurante avec l'interrogation sans réponse que nous sommes, *chacun et ensemble.* Ce qui nous fait spécifiquement hommes, c'est l'insoluble dialectique de la conscience et de sa succession, c'est-à-dire de la durée. « Je » existe à la fois *dans* la durée et au-dessus d'elle. Et cette contradiction est inso-

1. Pierre Joffroy, *L'Espion de Dieu,* Grasset, p. 184.

luble, parce que nous la vivons, justement dans la durée.

Ce qui nous manque, c'est de parvenir enfin à aimer. Parce que le temps, de soi, nous en empêche. Littéralement, il nous englue, dans l'illusion meurtrière des « civilisations ».

La transhumance humaine appelle, qu'on le veuille ou non, des « pâturages » inaccessibles.

3

Autant qu'on puisse, scientifiquement, situer les dates, certains personnages ont surgi dans l'histoire des hommes, et qui ont eu leur importance. Certes, notre investigation ne remonte pas tellement loin, au fond... L'homme en tant que tel a lui-même surgi du monde il y a deux ou trois millions d'années. Et le repérage proprement chronologique, grâce aux sciences archéologiques, chimiques et cosmologiques, ne devient à peu près consistant — quant aux personnages repérables — que vers le quatrième ou cinquième millénaire avant « notre ère », comme on dit ; c'est-à-dire il y a six ou sept mille ans...

Que c'est peu, soit dit en passant !

Dans la mesure où la légende — intemporelle parce que mythique et signifiante — peut se discerner de l'histoire qui décline impitoyablement la *succession*, le « Bouddha » est né vers 650 avant notre ère.

Alexandre, prédécesseur génial et tout aussi excessif que Napoléon et la clique hitlérienne, est né vers 350 avant notre ère. Napoléon, lui, c'était en 1769 ; et c'est plus facile à repérer car il y a des « papiers ». Aristote, qui a si profondément conditionné la pensée occidentale, est né vers 384 avant notre ère.

Tous ces gens-là ont fait du bruit. Ils ont fait des « choses ». Ils ont écrit des textes. Ils ont tué des quantités de gens, ou inspiré des légendes fort poétiques (lyriques ou épiques). Ils ont « cogité »...

Il y en a des quantités d'autres, d'ailleurs, de toutes sortes. Des génies : militaires, « mystiques », philosophiques, poétiques, artistiques ; ou mélange de tous ces éléments...

Il en est resté des éléments de « culture ». Ou des raisons de se disputer. (Ce qui revient, d'ailleurs, peut-être au même ?...)

Dans des limites assez imprécises — entre 10 avant et 10 de « notre ère » — un certain Jésus est né au milieu des autres.

Car il n'était pas seul à s'appeler ainsi. Ce nom, en hébreu, veut dire « Iahweh nous sauve ». Ce qui implique, dans le contexte concret où l'enfant survient, la notion fondamentale que la race a besoin d'être sauvée et que c'est « quelqu'un d'autre » qui sauvera. Quelqu'un qui est *autre ;* mais qui est suprêmement compréhensif ; c'est-à-dire *proche.* Sinon même *intérieur.*

Cet homme, qui s'appelait Jésus, a existé. Malgré les efforts que l'on peut faire pour le réduire à de la pure légende — c'est curieux, d'ailleurs, pourquoi ? — on ne peut pas raisonnablement évacuer le fait. Il y a quelqu'un, qui est né, qui a vécu, qui a parlé, mangé, travaillé, marché, dormi, souffert, et qui est mort. Comme vous et moi. Contrairement à Jupiter, Kali, Quetzalcóatl, Astarté, Bouzoubouzou, Satan, le Grand Totem, Baal (s) et autres figures mythiques.

Il n'a rien fait ; il n'a rien organisé ; il n'a rien écrit. Ni chef politique, ni « chef d'école », ni philosophe, ni écrivain. Rien. Il n'était rien. Il disait des choses qui ont frappé les gens puisqu'on en parle encore, parce qu'elles allaient contre toutes les idées « reçues » et « conservées ». Il en est d'ailleurs mort.

Et c'est tout.

Il est mort, vomi et crucifié — ce qui était la fusillade raffinée et banale de l'époque — par le conformisme « doctrinal ».

Et pourtant, il vit.

Pour ma part, pourquoi ne pas le dire, c'est en lui que je crois — comme je crois en mes amis mais plus absolument encore — alors qu'il y a beau temps que je ne crois plus à « l'autorité » — quelle qu'elle soit — autrement que de façon très relative.

Excusez-moi, si je vous choque...

Si je voulais résumer tout ce qui m'amène à cette attitude définitive, je dirais que c'est parce qu'il *aimait* et qu'il se moquait du reste. Pas au sens sentimentalo-affectivo-littéraire de tant de « leaders ». Mais pour de bon, et sans phrases. Et il aimait *tout le monde ;* même ceux qui, sur leurs grands chevaux traditionnels, méprisaient les autres. Il les engueulait ; mais il les aimait. C'est d'ailleurs pour cela qu'il les engueulait. On ne prend pas la peine d'engueuler les gens qui vous sont indifférents.

D'après les travaux les plus récents de critique, d'analyse historique, d'exégèse et autres, on peut affirmer un fait, tout aussi certain que la fondation de Rome, bien qu'on ne puisse en appréhender les détails exacts à la manière des archives modernes. Il *s'est passé quelque chose,* à la fois de très réel et de très complexe, dont nous trouvons l'expression dans des documents écrits qui s'échelonnent — en gros — dans la deuxième moitié du premier siècle. C'est-à-dire au plus tôt vingt ans après les événements essentiels. Pendant ces vingt ans, le récit s'est dit — peut-être aussi écrit, mais nous n'en savons rien — autour des gens qui les avaient vécus, ces événements, puis de ceux à qui ils les avaient racontés et *transmis.*

Un certain Jésus, donc, est né, a vécu, a parlé d'une certaine manière, a été exécuté comme agitateur dangereux (la « peine de mort » était surabondamment pratiquée dans l'Orient ancien...). Ses amis, qui l'avaient suivi et aimé, ont eu l'expérience quasiment intraduisible de le *savoir* vivant malgré cette mort. Ils l'ont exprimé comme ils l'ont pu. Cette histoire a pris le pas sur toutes les autres et elle se trouve deux mille ans après tout aussi *cruciale* qu'au début. Près de trois mille hommes, venus de toutes les races et de tous les pays, se sont réunis tout récemment, pendant trois ans, pour en discuter ; ou plutôt pour réfléchir aux moyens de ne plus déformer les choses ou leur sens. Cela s'est appelé le concile de Vatican II...

Nous ne savons pas et nous ne saurons jamais quel était son visage, comment il s'habillait, quels mots exacts et précis il a prononcés. Les portraits d'après nature étaient plutôt rares, à l'époque... On ne disposait ni d'un Philippe de Champaigne, ni de reporters. Ni de magnétophones. Et en outre, ce Jésus n'est vraiment devenu « vedette » qu'après son exécution. Il serait naïf de compter, à son propos, sur des documents « historiques » directs...

Mais le fait massif est là. Il est tellement là que nous sommes dedans, et que tout le monde continue à s'occuper — de fort diverses manières — de ce Jésus pour le rejeter, le prôner, le tirer à soi au besoin, s'accrocher à lui... Il est toujours la question vivante, centrale, de la race humaine.

Mais ce fait humain autour de Jésus s'inscrit dans un contexte dynamique. Les « événements » sont toujours préparés par ce qui s'est passé avant, concomitants d'autres événements, et suscitent d'autres événements, qui à leur tour...

Il y avait, au Moyen-Orient, un peuple curieux, dont l'attitude religieuse tranchait en quelque sorte sur tous les autres. Ce qui, d'ailleurs, ne simplifiait pas les relations internationales de l'époque. L'essentiel était une attitude résolument antimythologique, dans une mentalité, un langage et une culture qui n'arrivaient pas à se dégager totalement du mythologique. D'où une alternance dialectique, à l'intérieur même du peuple, entre la « religion » et la « foi », l'organisation sacro-légale et les prophètes. Peut-être cette alternance dialectique intérieure est-elle une des raisons pour lesquelles ce peuple dynamique et sans aucun doute courageux n'est jamais vraiment parvenu à *s'établir*, en tant que puissance ou civilisation dominante ?...

Envahis par les Grecs, colonisés par les Romains, les Juifs à la fin de l'ère préchrétienne étaient, semble-t-il, au comble de cette dialectique, exacerbés par la pression d'une civilisation et d'une religion qui n'étaient pas les leurs. Les sectes s'opposaient, se méprisaient réciproquement, se persécutaient de manière sans doute assez farouche. Indépendamment des détails concrets de sa naissance, nous pouvons à l'heure actuelle penser que Jésus, ainsi d'ailleurs que certains de ses amis, est né dans un milieu qui cherchait plus ou moins sans y parvenir à sortir de cette alternance dialectique. Il paraît certain que ce mouvement autour de Jésus avait plus de rapport par exemple avec les Esséniens qu'avec les Pharisiens ; bien que cela soit fort complexe.

On attendait quelqu'un. C'était là le thème absolument dominant ; mais impliquant des significations très diverses. Pour les uns, c'était une sorte de triomphateur « révolutionnaire » qui *reviendrait* à un passé nostalgique — et sans doute fort légendaire — d'un royaume dominateur et éclairant tout à la fois, que David avait amorcé et que son fils — illégitime ! — Salomon avait compromis dans le vertige même d'une réussite qui s'annonçait. Pour d'autres, c'était en même temps un personnage qui rétablirait tout à fait le « culte » bien hiérarchisé, bien organisé ; qui restructurerait le royaume d'Israël autour de la prédominance sacrale du Temple et de ses desservants, dans une vision un peu mythique du « Sujet Supposé Savoir ». Pour d'autres, c'était un curieux mélange d'être humain réel, jaillissant d'une « race », et de personnage transcendant le temps et l'espace : le « comme un fils d'homme » de Daniel.

Pour d'autres, à l'inverse pourrait-on dire, c'était le pauvre, celui qui n'avait pas de « dignité », qui serait persécuté et tué comme un criminel parce qu'il était *juste*, parce que, sans « puissance », il interrogeait intolérablement les puissants du « savoir » ou du « pouvoir ». Et par sa mort, ou plutôt par sa vie donnée jusqu'à la mort incluse, il rétablirait l'amour et la justice et la vraie *dignité* de l'homme au-delà de sa destruction par lui-même.

Or le fait *historique*, c'est que Jésus — tel qu'on l'appréhende au travers des récits — tout en disant qu'il était bien tout cela à la fois, était, avant tout, « autre » : cette victime de l'incompréhension, de l'orgueil meurtrier de « ceux qui savent », de la « bonne foi » poussée jusqu'à la « mauvaise foi »... C'est ça qui *s'est passé*. Lui qui n'était pas criminel, on l'a exécuté comme criminel parce qu'il dénonçait le « crime » fondamental et qu'il voulait, en quelque sorte, montrer *jusqu'au bout* où ce crime conduisait.

Plus question, bien sûr, d'une « civilisation » qui comblerait le manque... Tout change de sens. C'est dans le manque qu'est la mort qu'il veut *signifier* — et *réaliser* — cette plénitude inverse de l'amour. « Il n'est pas de plus grande preuve d'amour que de donner sa vie pour ceux qu'on aime. » Cette phrase va loin, quand on se rappelle qu'il avait dit que l'amour n'excluait personne.

Ni les bandits ; ni les prostituées ; ni les trafiquants ; ni même ces imbéciles de « prêtres et princes des prêtres » qui « ne savaient pas ce qu'ils faisaient ».

L'amour qui est « fort comme la mort », parce qu'il a le dernier mot. Même sur la mort.

Tel est le sens des récits évangéliques et de ce qui a suivi : Actes des Apôtres et lettres de certains d'entre eux.

Il faut bien reconnaître qu'il y avait de quoi désarçonner, choquer, indigner, mettre en transes ceux qui s'attendaient à autre chose. On comprend que des gens jeunes, convaincus et de tempérament fougueux, comme un certain Saul de Tharse, aient voulu détruire ces contestataires. Il n'est pas facile de se convertir à l'amour quand on est engagé, comme malgré soi et en toute bonne foi, dans le processus de secte...

Les limites de la dialectique « judaïque » éclataient dans la prédominance de la *foi* sur la *religion*. Justement parce que Jésus s'était fait tuer pour la signifier.

Pour les uns il ne peut pas être celui qu'on attend, puisqu'il ne revient pas en arrière... Pour les autres il est celui qu'on attendait parce qu'il ouvre tout *dans l'autre sens*.

On n'est pas sorti — et l'on ne sortira pas de longtemps ! — de cette radicale déchirure...

Cet ensemble d'événements concernant ce Jésus-là se situe également dans un contexte au relief saisissant. Il y a eu nombre de « messies », des personnages qui se sont « levés », selon le langage biblique, pour prêcher la révolte au nom des traditions et de la « pureté », contre l'occupation romaine, les « faux dieux » et l'esclavage du « peuple élu ». Mais il n'en est rien resté. Personne n'en parle plus depuis longtemps. Les agitateurs idéologiques ou politiques sont vite remis à leur place par l'histoire : nulle ou « héroïque », mais sans plus. Aucun n'est jamais devenu — dans le contexte hébreu ou dans d'autres contextes — un sauveur *actuel* et *toujours* actuel. Les autres sont des « héros » ; on en fait des personnages exemplaires, ou des sources d'inspiration ; mais on n'en attend rien d'autre.

Pour ce Jésus-là, ceux qui croient en lui en attendent — ou plutôt en *perçoivent* — une *présence* extraordinairement spécifique car il s'agit ni d'un héros, ni d'un « surhomme », ni d'un personnage imaginaire à la manière des dieux antiques (ou modernes...).

Ni agitateur, ni héros, ni mythe.

La question qu'il pose, et qui est un fait historique, est terriblement embarrassante.

Elle l'est toujours ; en d'autres termes...

Dès sa mort, cette question s'est posée à la conscience des hommes par le témoignage de ceux qui l'avaient connu. Le *fait* est qu'un certain nombre d'hommes ont vécu là une expérience qu'ils n'ont pu exprimer que dans le langage qui était le leur, ce qui amène à des contradictions surprenantes dans les récits écrits qui nous sont restés. Bien qu'il fût mort, ils l'ont perçu vivant ; mais non à la manière d'un souvenir ou d'un rêve : sur un mode à la fois réaliste et désarçonnant, mais dont l'importance était telle que tout le reste devenait secondaire ou illusoire. Ce Jésus-là manifeste que la mort — la plus réaliste et la plus cruelle — est le triomphe suprême de la vie et de la vie *personnelle.* Ils ont vu qu'il ne s'agissait pas d'un mythe, et ils ont eu de la peine à y croire. Mais ils l'aimaient tellement, ils avaient tellement foi en lui qu'ils ont fini par accepter. Et ils sont partis l'annoncer partout. Tant et si bien que mille neuf cents ans après on en discute encore, et peut-être plus sérieusement que jamais. La question de savoir si Vishnou est un personnage mythique n'inquiète pas grand monde. L'inquiétant, c'est que Jésus ne *peut pas* être réduit à un mythe ; et c'est, semble-t-il, justement cela que les « apôtres » et les « disciples » ont profondément compris... Le cadavre de Lazare a été réanimé ; mais il est remort quelque temps plus tard (même si ce n'est pas en Provence...). Jésus, ressuscité, ne *meurt plus,* comme dit Paul. Ce qui signifie qu'il n'est plus prisonnier du temps et de sa succession.

Si l'on cherche à dégager les thèmes essentiels

de son histoire — indépendamment des détails plus ou moins oubliés, déformés, dans des perspectives de relief tributaires des sensibilités diverses des témoins — c'est au fond fort simple. Emanant d'un contexte culturel et religieux fortement structuré, Jésus a principalement et essentiellement contesté toute structure de « religion », en tant qu'elle « obturait le manque », et qu'elle tendait, de soi, à l'illusion magique. Il demandait la *foi* en *lui*. Pas à la manière d'Alexandre, de César, de Napoléon, d'Hitler, de Clemenceau, de Churchill ou de de Gaulle, bien évidemment... Car il n'était pas « chef » ; ni « sorcier ». Inclassable. Il a d'ailleurs été exécuté par ce qui, de son temps, correspondait aux tribunaux de l'Inquisition. (Le plus curieux est d'ailleurs que ces tribunaux se soient plus tard constitués *en son nom*, ce qui est le comble du retournement...).

Il est, concrètement, au beau milieu de l'histoire — et non des mythes — la parole de l'amour.

C'est l'achèvement d'une longue ligne évolutive. Car dès Abraham, ce n'est pas le « Sujet Supposé Savoir » qui s'exprime. Toute la Bible tend à évacuer — non sans mal — cette nostalgie humaine. C'est l'Amour qui se révèle. L'amour en tant que « préalable » à toute existence, si l'on peut dire. L'amour ; toute puissance mystérieuse suscitant tout dynamisme de vie. D'Osée à Jean, en passant par Ezéchiel, le Cantique des Cantiques et l'interrogation dramatique de Job, c'est cette affirmation qui est explicite. Il ne s'agit plus, à ce niveau, de mythologie ou de métaphysique.

Et l'Amour qui se révèle est ce Jésus, pauvre, simple, non spectaculaire, mais inexorablement présent d'une « densité » unique. Il ne « sait » rien ; il ne détient pas « d'autorité », sinon sur la mort. Il ne veut pas être « roi ». D'ailleurs, au temps de Samuel, l'institution de la royauté, réclamée par un peuple devenu plus sédentaire, était perçue comme assez ambiguë, risquant de substituer l'autorité à l'amour... La suite l'a d'ailleurs bien montré.

Jésus est bien descendant de David ; mais il n'est pas venu pour être roi, pour assumer l'autorité. Il en prend à son aise avec les règlements et les hiérarchies. Il aime ; il meurt ; et il révèle du coup une *inexprimable présence* (ces deux mots étant à prendre dans le plus extrême de leur signification). Et c'est par l'autorité qu'il choisit de se laisser tuer, alors qu'il n'a « rien fait de mal »...

Il n'est pas autre chose que la « parole » de l'Amour qui se révèle en plénitude, bien au-delà des cogitations humaines, alors qu'il n'est qu'un homme au milieu des autres, hors de toute « hiérarchie » religieuse ou politique. Et ce n'est pas « ce qu'il dit »... Ce n'est pas du « laïus ». Ainsi ses disciples l'ont-ils perçu : c'est *lui* tout entier, dans toute sa vie semblable à bien d'autres, et pourtant transcendante, qui *est* l'expression de l'amour, accessible enfin à notre appréhension.

Telle est l'expérience irréductible d'un certain nombre d'hommes, il y a près de deux mille ans, dont on a de sérieuses raisons de penser, en toute honnêteté, qu'ils n'étaient pas délirants.

Très vite, un autre aspect apparaît, peut-être encore plus étrange mais d'une logique finalement éblouissante : Jésus « coagule » en quelque sorte toute la race humaine dans une unité de destin à laquelle elle ne parvient pas sans le « cristal » qu'il est.

En d'autres termes, celui qui franchit la mort, qui évacue l'injustice, qui établit l'amour au-delà des limites, celui qui ouvre la béance à l'extrême de sa signification (au lieu de l'obturer) — le *christ,* c'est à la fois *lui,* le Jésus repérable, et nous tous, « en lui, par lui, avec lui » selon le bafouillant langage qui ne parvient pas à *dire.*

D'un côté, Pierre écrit à ceux qui croient en Jésus en leur disant qu'ils ont le « Sacerdoce Royal » ; expression conditionnée par tout un contexte cultuel, mais qui signifie qu'ils sont tous ensemble, par Jésus, l'homme qui parvient à la plénitude de l'Amour, à la participation — au vrai sens du mot ! — à l'Amour préalable qui suscite tout dynamisme de vie.

Et Paul écrit aux Colossiens (1, 24) « je complète en ma chair ce qui manque aux souffrances du

Christ, pour son Corps ». Il est vraisemblable que ce qu'il vivait alors était rien moins que confortable ! Curieux personnage que cet homme, ayant chaviré de la « religion » à la foi... C'est lui qui, pourchassant avec l'ardeur de sa conviction les disciples de ce Jésus insupportable, s'était aperçu brusquement qu'en persécutant les disciples, il persécutait directement cet Homme qui n'avait fait qu'aimer. Il y a là bien plus qu'une vague solidarité sentimentale ; tout autre chose que la « mystique » d'un parti.

Une évidence qu'on ne voyait pas.

L'évidence de l'expérience de tous les jours, mais dont personne ne percevait le sens...

Les récits nous racontent qu'au moment où le drame allait se déclencher, Jésus était dans un jardin près de la ville avec les plus proches de ses amis. Et pendant qu'il suait d'angoisse à l'idée de ce qui allait se passer, dans cette effroyable solitude de l'amour méconnu, ses amis, écrasés de fatigue, *dormaient*.

Cela ne vous est jamais arrivé de vivre quelque chose dans ce genre ?

Moi, si.

Souffrir et pleurer, sans rien pouvoir faire d'autre, parce que ceux qui m'aiment, ceux dont on voudrait tant la présence à des moments d'épreuve, ne sont pas là... Ils sont « ailleurs »... Parfois même s'ils ont l'air d'être là... Ils « dorment », en un sens, pendant qu'on agonise. Et cela ne peut pas être autrement ; ce n'est pas de leur faute ; ce n'est pas qu'ils nous oublient. Mais ils sont obligés d'être dans un ailleurs qui les sollicite et qu'ils ne doivent pas trahir ou décevoir. Ils ne peuvent être partout à la fois. Et *nous non plus.* C'est-à-dire que nous sommes, à notre tour, pour eux cet ami qui « dort » ou qui n'est pas là...

L'Agonie solitaire du Christ, mais n'est-ce pas celle de nous tous, à certains moments ?

La mort ignominieuse et scandaleuse de cet Innocent qui n'avait d'autre tort que de prêcher la justice et l'amour...

A Belzec, entre 1941 et 1944, vingt mille personnes *par jour* ont été assassinées méthodiquement. Kurt Gerstein déclare à Hochstrasser, membre de la légation suisse à Berlin, que les victimes du National-Socialisme se montent à vingt millions, au moins, de morts. Vingt *millions*... Un tel chiffre dépasse l'imagination et n'impressionne presque plus. Mais pensez, comme je tente de le faire, que l'un de ces vingt millions, c'est vous ; arraché sans comprendre pourquoi à votre vie quotidienne, emmené à l'autre bout de l'Europe dans un wagon à bestiaux, entassé avec les autres, comprimé, pressuré avec les autres dont chacun est aussi une personne comme vous, et agonisant pendant une demi-heure dans du gaz carbonique. Chacun de ces vingt millions d'êtres humains a vécu cela, personnellement, comme vous l'auriez vécu...

Chacun des protestants pourchassés par Louis XIV. Chacun des catholiques persécutés par Calvin. Chacune des victimes de l'Inquisition, de la Guépéou, des milices, des Croisades, des empires coloniaux, des tueries « civilisatrices », des conquêtes de Napoléon...

Ce Vietnamien, torturé par un officier français, qui est mort sous mes yeux de médecin impuissant, dans un dernier regard à donner le vertige...

Ce n'est pas la peine de chercher dans les vieux papyrus... La passion du Christ, elle est sous nos yeux ; elle est *nôtre*.

C'est en lui, *avec* lui, que tous ensemble et chacun nous éclatons hors des limites du temps, dans cet enfantement dramatique.

Lui seul est le *sens*...

La transhumance humaine à travers le temps, c'est donc un voyage qui a un sens ? Le cheminement de chacun et de tous, dans cette quête indéfinie et jamais apaisée de justice et d'amour vrai, ce grouillement multiple et singulier des hommes depuis le surgissement de la conscience, tout cela converge vers et dans ce minuscule épisode de Jésus crucifié mais vivant...

Enorme et total parce qu'il est, justement, minuscule...

Un simple homme parmi les autres... Mais qui *est* la parole pure de l'Amour total.

Il est indiscutable que cette histoire a été vécue comme telle aux tout premiers siècles de notre ère, dans une mentalité, un langage et un vocabulaire certes fort différents. Jésus a été perçu et vécu comme le contraire d'un « personnage sacré », c'est-à-dire d'une idole.

Et puis ceux qui croyaient en lui se sont organisés. Il fallait bien. On s'est dispersé, pour annoncer partout cette nouvelle unique et définitive. Pierre et Jacques, par exemple, sont restés d'abord « sur place » quant au contexte culturel hébraïque. Paul, et sans doute d'autres, sont partis loin et se sont confrontés à des cultures différentes. Il a fallu se retrouver, à Antioche par exemple, pour se concerter, pour faire éclater la prison des anciennes structures sacrales...

Mais...

Mais les structures — au sens le plus général de ce terme — sont absolument nécessaires si on veut faire quelque chose. Et elles ont, de soi, tendance à devenir « sacrales », même s'il ne s'agit pas de « religion » explicite. Les sociétés socialistes « athées » nous en donnent un évident exemple... Et la psychologie freudienne nous éclaire beaucoup sur ce processus inévitable de « sacralisation » qui fige.

Alors, l'ensemble s'est structuré, forcément.

Déjà, du temps de la vie temporelle de Jésus, on parlait du « royaume » et c'était à qui, parmi ces pauvres bougres qui étaient les Apôtres, intriguerait pour être « premier ministre ». Evidemment, après, ils ont compris que ce n'était pas de cela qu'il s'agissait.

Mais le naturel revient au galop. Il y a eu Constantin ; il y a eu ce surprenant phénomène, sans doute fort complexe, du chavirement *officiel* de l'Empire romain : la foi au Christ est devenue « religion » ; et religion d'Etat.

Sous de multiples formes, d'accord ou de rejet, la confusion des structures « politico-socio-religieuses » avec la foi en Jésus le Christ a duré jusqu'aux temps présents ; elle dure encore. On a toutes les peines du monde à s'en dégager ; et l'effort même qui se fait dans ce sens risque à tout instant de nous faire à nouveau sombrer dans le « structurisme »... J'allais dire : dans le « structuralisme »...

Dans les premiers siècles de notre ère, il s'est fait un formidable mouvement d'idées, de civilisation, de contagion. Cette aventure extraordinaire d'un homme obscur appelé Jésus mort et cependant vivant (et non comme une belle histoire mythique) c'est elle qui est devenue l'idée force, qui a transformé l'écroulement de la civilisation gréco-romaine en un renouveau, explicitement « chrétien ».

Et c'est là qu'apparaît le paradoxc révélateur. Ce « mouvement », cette éclosion chrétienne, c'est essentiellement la transhumance humaine qui prend un sens. Dans et avec *ce* Jésus, l'humanité tout entière jaillit hors du temps, *au-delà de la mort*, vers sa plénitude. L'Amour tout-puissant, et « préalable » à tout, se révèle comme aspirant en quelque sorte, non dans le mythe mais dans le réalisme de la mort devenue preuve, toute l'humanité, c'est-à-dire tous les hommes individuellement et ensemble. Mais le processus inévitable de structuration introduit au cœur même de cet immense mouvement le principe de fixation (de répétition, selon Freud) qui réintroduit fatalement le « sacré » trompeur. Il n'y a pas moyen d'empêcher ce processus. On ne peut que, le temps venu, le dénoncer ; quitte, comme Jésus, à se faire flageller sinon mettre à mort...

Or cette foi, cette espérance dans le plus loin que la mort, dans cet « ailleurs » par rapport au temps, c'est le cri fondamental et universel. C'est la *nécessité* de base. Songez à ces milliards d'amours interrompus par les haines, les guerres, les catastrophes... Chacun des vingt millions de victimes du nazisme était, à son niveau — singulier et irréductible — un appel d'amour, un hurlement vers la *justice*... On ne supprime pas d'un trait de plume métaphysique ce hurlement des hommes tout au long de l'histoire, ce hurlement du « troupeau » grossissant en marche vers un destin plus vaste que ses forces. On ne supprime pas d'une entourloupette philosophique ce hurlement, historique, de Jésus qui l'assume, l'exprime et lui donne toute cette densité de réalisme qui ouvre pour de bon la porte.

Mais les structures se sont établies, forcément... Il n'a pas fallu plus de quelques siècles pour que celui à qui Pierre avait passé la main, à Rome, devienne un « grand personnage », puis un ersatz d'empereur, puis un usurpateur d'empire... C'était quasiment inévitable, hélas ! C'est très facile, mille cinq cents ans après, de déclarer qu'il aurait fallu s'y prendre autrement !

Seulement, il reste encore des choses surprenantes. On désigne le successeur moderne de Pierre par des titres empruntés au jargon de l'Empire romain décadent. Le Vatican fourmille d'un curieux mélange de rites, de traditions, de « hiérarchies » où s'accumulent pêle-mêle les reliques romaines, les habitudes médiévales, les nostalgies de la Renaissance. Le successeur de Pierre se promène en compagnie de soldats d'opérette habillés par Michel-Ange... Le miracle — j'entends ce mot au sens fort... — c'est que tout n'ait pas sombré dans le ridicule et que l'on pressente toujours qu'il y a là, malgré l'odieuse apparence, la persistance de la transhumance du Christ. Beaucoup plus d'ailleurs depuis que ce vaste et séculaire système s'est carrément mis en question pour retrouver son sens et rompre la « fixation sacrée ».

Et puis le « clergé » s'est constitué ; cette caste socio-culturo-sacrale, qui a mené la pensée et fait marcher les gens jusqu'à l'aube des temps modernes. Soi-disant — et en toute bonne foi en général — pour continuer ce que les premiers avaient fait : annoncer partout que Jésus était mort et du coup vivant... Et les frétillements honorifiques... Et les trafics d'influence... Et les maffias pieuses... Et les féodalités genre Cluny avant saint Bernard... Et les « palais épiscopaux »... Et les cardinaux de cour type Rohan... Et tout et tout... Nous avons, dans ces années que nous vivons, la chance extraordinaire de voir l'horizon se « nettoyer » avec une rapidité surprenante et quasi inespérée. Et l'essentiel — la seule réalité ultimement importante — apparaît : quelqu'un au milieu des autres refait les gestes : « il a pris du pain... il a dit : prenez et mangez, ceci est mon corps ».

Mais sont venus les théologiens... Irrésistible tentation de « penser » là-dessus. De considérables progrès ont été faits. Cette extraordinaire ambivalence de Jésus, homme au milieu des autres et Amour transcendant tout à la fois ! Il y avait matière à « penser ». Et l'on ne s'en est pas privé... Augustin. Bernard. Abélard. Pierre Lombard. Thomas d'Aquin. Sanchez. Etc., etc. Les systèmes philosophiques — comble de structuration intellectuelle — s'en sont mêlés et ce fut un beau gâchis. On en est arrivé — de façon, hélas ! bien générale ! — à croire que l'incommensurable hurlement de Jésus était enfin enfermé dans des systèmes satisfaisants de pensée ! On appelait ça la « saine doctrine »... la « bonne théologie »... les « bons principes »... La métaphysique aristotélicienne, pitoyablement dégradée d'ailleurs, au service de la volonté de puissance de la clique de l'ancien Saint-Office. Cette misère maintenant fait sourire... Il n'en était pas de même encore il y a vingt ans.

Les orgueilleuses illusions des civilisations s'écroulent, par la force même des choses. C'est le sort logique de la « civilisation chrétienne », expression particulièrement contradictoire, le Christ Jésus étant venu réaliser la présence d'une tout autre dimension qu'une civilisation temporelle.

Alors, pour un temps, pour une étape peut-être définitive de la transhumance de la race humaine, les faux décors s'écroulent. Je ne crois pas au renouvellement identiquement répétitif de l'histoire ; cette idée me paraît une confortable naïveté. Il se passe quelque chose dont les prodromes sont repérables à bien d'autres époques, qui s'inscrit dans une continuité évolutive, et qui est radicalement nouveau parce que jaillissant du passé.

L'histoire concrète, dialectique, est un perpétuel accouchement, avec des phases plus ou moins repérables, mais sur un mode de progression géométrique... L'enfant qui naît jaillit du passé de ses géniteurs, et c'est pour cette raison qu'il est, et qu'il est nouveau...

Les illusions de puissance, les fantoches, les gris-gris, les oripeaux, tout cela flambe enfin à une allure qui peut effrayer certains. Mais alors peut enfin se faire entendre, dans son incoercible nudité, dans sa signification incamouflable, dans sa *présence réelle,* ce cri de Jésus qui meurt — ce cri qui est le nôtre — après qu'il eût dit « prenez et mangez ; prenez et buvez... c'est *moi* ».

Tout le reste est littérature ; au sens péjoratif de ce terme. D'autant plus intolérable ou ridicule, en notre temps, qu'elle est douceâtre, doctrinaire, administrative ou pseudo-technique...

Vers les années 55 de notre ère — vingt ou vingt-cinq ans après la mort de Jésus — Paul écrivait aux chrétiens de Corinthe : « Je n'ai rien voulu *savoir* parmi vous, sinon Jésus-Christ et Jésus-Christ crucifié. Moi-même, je me suis présenté à vous faible, craintif et tout tremblant, et ma parole et mon message n'avaient rien des discours persuasifs de la sagesse. »

Arrêtez-vous un moment et pesez bien cette phrase...

Quelque temps auparavant, tout entier dynamisé

par cette découverte de Jésus, il avait voulu, croyant bien faire, « argumenter » avec les Athéniens. Faire de la « sagesse » ; c'est-à-dire de la philosophie... Il avait raté, bien entendu.

Il a compris. Il sait désormais qu'il ne *sait* rien que Jésus, et Jésus crucifié...

Le voile de l'incompréhensible, de l'absurde, de l'inacceptable qui se déchire...

La transhumance qui débouche.

L'Amour qui s'exprime en irrésistible vérité, en Jésus, avec tout ce que cela entraîne.

Parce qu'il est fort comme la mort.

C'est-à-dire qu'il a le dernier mot.

Même sur la mort.

Dernières phrases avant le silence...

Il y a des regards, brusquement, qui vous replongent dans cette interrogation vertigineuse que nous passons notre temps, sans le vouloir, à éluder. Ces regards qui vous *disent :* « Où es-tu ? Où suis-je ? Qu'est-ce que tout veut dire ? »

Et cet échange, alors, se situe au-delà des théories, des philosophies, des « théologies ». Soudain on ne sait que répondre ; et dans un échange plus total qu'il n'est possible de dire, c'est comme si on répondait : « Je ne sais pas, et toi ? »

Peut-être est-ce là le rythme ultime de l'histoire humaine, de l'histoire de ces gens — dont nous sommes vous et moi — qui depuis près de deux millions d'années s'interrogent à perte de vue dans une panique constituante et spécifique.

« Dis : qui es-tu ? Qui suis-je ? et où va-t-on ? »

Si je pouvais le *dire,* tout serait résolu, n'est-ce pas ?

Mais ni vous ni moi nous ne le pouvons. Il n'y a

qu'un être qui ait pu le dire, à un autre qui l'interrogeait au moment de mourir. « Toi qui n'as jamais fait le mal, toi qui n'as jamais prêché que l'amour, toi qui es là en train de crever pour cela, comme moi je crève pour le contraire, toi en qui j'ai foi, ne m'oublie pas là où tu vas ! »

Au moment de mourir...

Et ce « juste » qui mourait avec lui, dans les conditions inconfortables que l'on sait, lui a répondu — sans doute en haletant : « Ce soir même tu seras *avec moi* dans le bonheur. »

Au moment de mourir...

On dit parfois — cela fait partie des âneries traditionnelles — que le sommeil est une image de la mort. Mais quand on dort, on respire. Quand on meurt, on ne respire plus. Il y a là, tout de même, une singulière différence.

Depuis Freud, on *sait* que le sommeil est en quelque sorte un retour provisoire à la sous-conscience. La mort, elle, ne serait-elle pas le contraire : le passage soudain à la sur-conscience ?

C'est d'ailleurs la raison pour laquelle on ne peut en parler...

A Marseille, un jour, un Parisien accoutumé à marcher vite s'attirait la réflexion de son collègue méridional : « Hé, pourquoi vous vous pressez ? On arrivera tout de même... »

Voilà... Qu'on soit pressé ou placide, nerveux ou lymphatique, « on arrive tout de même ».

Mais où ?

Pourquoi ne serait-ce pas enfin, au-delà des phrases, des polémiques, des « doctrines », des oripeaux et des hiérarchies, tout simplement à la *réalité* de l'amour ?

Chacun et ensemble, forcément, sans quoi ce ne serait pas l'*amour*...

Le monde n'a pas encore fini d'accoucher. Dans les souffrances toniques et explosives d'espérance de l'enfantement...

Pourquoi ne serait-ce pas là le sens de la « transhumance » ?

IMP. SÉVIN, A DOULLENS. D. L. 2e TR. 1970. N° 2 581 (2 459).

DANS LA MÊME COLLECTION

HANS URS VON BALTHASAR, Le chrétien Bernanos
J.-C. BARREAU, La Foi d'un païen
La Reconnaissance, ou qu'est-ce que la foi ?
Où est le mal ?
K. BARTH, O. CULLMAN, E. FUCHS, J. GEISELMANN, H. KÜNG, Catholiques et Protestants
BLONDEL, LABERTHONNIÈRE, Correspondance philosophique
HENRI BOUILLARD, Blondel et le Christianisme
RUDOLF BULTMANN, Jésus, Mythologie et Démythologisation
Foi et Compréhension
M.-D. CHENU, Pour une théologie du travail
JEAN DANIÉLOU, Les Evangiles de l'enfance
La Résurrection
MADELEINE DELBRÊL, Nous autres, gens des rues
La Joie de croire
DAVID FLUSSER, Jésus
H. GOLLWITZER, Un autre te mènera
ROMANO GUARDINI, Liberté, Grâce et Destinée
La Puissance
ABRAHAM HESCHEL, Dieu en quête de l'homme
BRUCE KENRICK, La Sortie du désert
LUCIEN LABERTHONNIÈRE, Le Réalisme chrétien
RENÉ LAURENTIN, Bilan du Concile
La Question mariale
L'Enjeu du Synode
Le Premier Synode, histoire et bilan
Flashes sur l'Amérique latine
L'Amérique latine à l'heure de l'enfantement
Développement et Salut
Enjeu du IIe Synode
Le Synode permanent
HENRI LE SAUX, La Rencontre de l'hindouisme et du christianisme
HENRI DE LUBAC, Paradoxes, *suivi de* Nouveaux Paradoxes
ANDRÉ MANARANCHE, Je crois en Jésus-Christ aujourd'hui
Y a-t-il une éthique sociale chrétienne ?
Quel salut ?
Franc-parler pour notre temps

JACQUES MARITAIN, Pour une philosophie de l'histoire
HENRI-IRÉNÉE MARROU, Théologie de l'histoire
JEAN MEYENDORFF, L'Eglise orthodoxe, hier et aujourd'hui
MARC ORAISON, Le Mystère humain de la sexualité
Tête dure
J.-M. PAUPERT, Contrôle des naissances et Théologie, le dossier de Rome
HÉBERT ROUX, Le Concile et le Dialogue œcuménique
Détresse et Promesse de Vatican II
JEAN-FRANÇOIS SIX, Cheminements de la Mission en France
La Prière et l'Espérance
C. TRESMONTANT, Comment se pose aujourd'hui le problème de l'existence de Dieu
Le Problème de la Révélation
GABRIEL VAHANIAN, La Condition de Dieu
D. VASSE, Le Temps du désir